# 여성주의상담

이 도서의 국립중앙도서관 출판시도서목록(CIP)은 e-CIP홈페이지(http://www.nl.go.kr/ecip)와 국가자료공동목록시스템(http://www.nl.go.kr/kolisnet)에서 이용하실 수 있습니다.(CIP제어번호 : CIP2013006145)

# 여성주의상담

## 구조화 모델 워크북

| 김민예숙 지음 |

한울
아카데미

저자 서문

# 여성주의상담, 그 하나의 모델

여성주의상담자로 내가 활동한 지는 2013년 초로 만 19년이 된다. 여성주의상담자가 된 과정에 대해서는 『왜 여성주의상담인가』(2005)에 자세히 썼는데, 가장 큰 원인을 꼽자면 반면교사가 된 어머니의 인생과 1977년 여성학과의 만남이 아닐까 싶다. 그 후 20년 가까운 세월 동안, 외로울 때도 있었지만 여성주의상담자의 정체성을 지켜올 수 있었던 이유는, 필요한 때마다 여성주의상담을 의지하며 내 삶을 탈바꿈시킬 수 있었기 때문이다. 여성이라는 소수자로 태어나서 살면서 소수집단을 억압하고 차별하는 생각들에 의해 상처받을 때, 여성주의는 그 오래된 무거운 세력에 굴복해 쓰러지지 않고 전복까지 하지는 못해도 맞닥뜨리며 거부하게 하는 '위대한 거부'의 도구가 되어준 것이다. 그리고 여성주의상담은 과거를 부정한 빈자리에서 제자리걸음을 하게 하지 않고, 같은 가치를 지향하는 사람들을 만나 지지받으며 '현재와 연결'된 채 앞으로 걷게 하는 연결의 도구가 되어주었다. 누가 말한 대로 울더라도 '걸으면서 울어라'를 실천하게 한 것이다. 삶에서 중요한 것은 현재이고, 현재는 가슴과 가슴의 만남에서만 경험할 수 있기 때문이다.

1998년에 여성주의상담을 하는 여성운동가에서 여성주의상담을 연구하는 대학교수로 사회적 역할이 바뀐 이후 여성주의상담 관련 공저 1권과 공역 3권(『여성주의상담의 이론과 실제』, 『여성주의와 상담』, 『여성주의상담의 전복적 대화』)을 출판하고 다수의 논문을 썼다. 무엇보다 "여성주의상담의 이론과 실제"라는 제목으로 전국에서 수백 번의 강의를 했다. 때로 워크숍도 하고 슈퍼비전도 했다. 강사로서의 고민은 여성주의상담을 배우고 실천하려는 열정을 가진 수강생들이 강의를 듣고 상담하면서도 여성주의상담자로서의 자신감을 갖지 못한다는 것이었다. 자신감은 고사하고 자신이 여성주의상담을 하고 있는지 모르겠다는 회의를 보이는 경우도 있었다. 수강생을 탓할 수 없는 것이 나도 강의에서 여성주의상담의 기본이론을 설명하고 슈퍼비전에서 여성주의상담이 아닌 것은 지적하지만, 미리 실제 과정을 구체적이고 명료하게 보여주지 못하고 있었기 때문이다. 우리는 가고 싶은 곳이 있고, 그곳을 향해 가고 있기는 하고, 잘못된 길을 가는 경우는 알아채지만, 정확히 우리가 어디에 있으며 얼마나 더 가야 그곳에 이를 수 있는지 볼 수 있는 지도가 없어 답답해하는 사람들 같았다.

여성주의상담의 이론화가 시작된 나라인 미국에서 출판된 주요 여성주의상담 저서들을 구해서 공부했지만, 대부분은 여성주의상담 철학과 이론 그리고 여러 이슈들을 설명하는 데 그쳤다. 그 책들의 내용에 기반해 여성주의상담의 개념과 여성주의상담자의 태도를 가르칠 수는 있었으나, 여성주의상담과정에 대한 훈련을 체계적으로, 또 표준적으로 제공할 수 없었다. 상담자 훈련을 위해 여러 가지 시도를 해보았다. 2005년부터 3년간 서울여성의전화와 '여성주의상담자 교육'도 해보았고, 2009년에는 김민예숙여성주의상담연구실 소속 연구원들과 '이주여성을 위한 여성주의상담자 교육'도 해보았다. 그러나 여성주의상담을 배우려는 누구에게나 반복적으로 가르칠 수 있는 훈련체계는 만들어지지 않았다. 이런 문제로 인해 상담장면을 활용해 동영상을 만들면 어떻겠느냐는 제안도 받아보았다.

고민 끝에 2011년 초에 여성주의상담과정 모델을 하나 만들 수 있었다. 2004년부터 매년 아카데미라는 이름으로 연구원들에게 여성주의상담을 교육했는데, 8회 아카데미에서 이 모델을 발표했다. 연구원들은 지도를 얻은 것 같다고 기뻐했다. 그 마음을 표현한 것이 "우리는 여성주의 상담자이다. 우리는 여성이 주체가 되는 여행의 안내자이다. 우리는 지도를 가지고 안전하게 안내한다. 우리는 상담여행으로 여성의 권력을 강화시킨다. 우리는 행복한 안내자이다"라는 여성주의상담자 선언문이다. 이 모델은 여성주의상담을 필요로 하는 여성과 소수자를 위한 상담과정을 전부 포괄하지는 못한다 해도 기본적인 상담과정은 구조화해준다. 그 이후 지금까지 이 내용을 자료집으로 만들어 일곱 번 워크숍을 했다. 그 중 광주에서 워크숍을 할 때 그 지역에서 오랫동안 여성주의상담을 해오신 어떤 분이 모델이 만들어진 것을 아주 기뻐해주셔서 같이 눈물을 흘린 것이 기억에 남는다.

이 모델은 완전한 것이 아니다. 그러나 현시점에서 여성주의상담 기본교육을 위한 지도가 되어주기 때문에 출판하기로 했다. 더불어 지금까지 연구해온 내용들을 모아 여성주의상담을 하기 위한 훈련서로서의 책이 되도록 했다.

나는 "자아 초월적 여성주의상담"을 지향하는데 현재 개발한 모델에는 자아 초월 부분은 빠져 있다. 위에서 여성주의는 위대한 거부의 도구, 상담은 연결의 도구라 했는데 이것은 프리드리히 니체(Friedrich Nietzsche)의 『차라투스트라는 이렇게 말했다』를 차용한 개념이다. 니체는 정신의 세 가지 변화를 설명하면서 "그대 마땅히 해야 할지니라"라는 당위에 대해 사자(獅子)는 "나는 단지 하고자 할 뿐이다"라며 거부하고, 어린아이는 "신성한 긍정"을 하며 새 가치를 창조한다고 했다. 가부장제 메시지를 거부하는 사자는 여성주의를 상징하는 것으로, 신성한 긍정을 하는 어린아이는 자아 초월을 상징하는 것으로 해석할 수 있다고 생각한다. 앞으로 자아 초월 부분이 채워지면 좀 더 풍성한 지도가 되리라 믿는다.

나는 우리나라에 여성주의상담을 처음 소개한 1세대의 바통을 이어받아 여성주의상담을 확산시킨 2세대에 해당한다. 2012년 10월 한국여성심리학회 산하 여성주의상담연구회가 창립되고 초대 회장을 맡게 되었는데, 여성주의상담에 관심을 가진 다양한 사람들이 모일 수 있는 연구회를 통해 앞선 세대보다 더 진화된 3세대가 나올 것이다. 이 모델이 현재 우리나라 여성주의상담가들의 권력 강화에 조력하기 바라며, 19년 만에 모델을 만든 기쁨을 여성주의상담연구회 창립회원들(강문순, 강혜숙, 고은희, 공춘옥, 권수현, 김은아, 김현정, 이덕희, 이주연, 정주은, 최박미란, 홍상희)과 나누고 싶다.

그 밖에 여성주의상담 강의의 수강생들, 나와 함께 상담과정을 경험한 내담자들, 슈퍼비전과정을 경험한 슈퍼바이지들에게도 감사하고 싶다. 그들과 그들의 피드백이 나의 작업에 생명력과 의미를 불어넣어 주었기 때문이다. 그리고 내가 정서적으로 지쳤을 때 나의 이야기를 잘 들어주어 내가 자기 정화를 할 수 있게 해준 큰언니와 혜송에게 감사한다. 마지막으로 원고가 책으로 만들어지는 과정에서 부족한 부분을 꼼꼼하게 살펴 채워준 도서출판 한울의 모든 관계자 여러분께 감사의 말을 전한다.

이 책을 날개 꺾인 새로 살았기에 당신의 딸인 나라도 마음대로 날아다니는 자유로운 새가 되기를 진심으로 바라며 뒷바라지해주신 어머니 민영백 님께 바친다.

2013년 5월

김민예숙

# 차례

# 〈활동지 차례〉

## 〈표 · 그림 차례〉

제1장

# 여성주의상담의 개념

나는 여성주의상담 개론을 강의할 때 여성주의상담의 역사와 함께 개념을 설명한다. 여성주의상담의 탄생을 가능하게 한 정신이 없다면 여성주의상담의 의미를 살릴 수 없기 때문이다. 그 역사와 정신의 기반 위에서 기본적인 원리와 기법을 설명한다. 이것을 충분히 이해해야 내가 만든 모델을 이해하고 사용할 수 있기에 제1장에서는 1998년부터 해온 여성주의상담 개론 강의를 간단하게 정리했다.

## 1 여성주의상담의 개념과 한국 여성주의상담의 역사

여성주의상담이라는 새로운 상담이론은 1960년 말 미국에서 등장했다(Brown, 2010). 미국에서 1960년대에 불붙기 시작한 제2차 여성운동의 의식향상집단에 참여했던 당시의 여성 상담전문가들이 내담자들의 심리내적인 요인뿐만 아니라 내담자의 삶에 영향을 미치는 사회적인 요인도 고려하는 상담이론의 필요성을 절감하여 만들기 시작했고, 여성주의상담이 적용된 최초의 상담소는 강간위기센터였다. 이렇게 시작된 여성주의상담의 개념은 "여성주의 철학의 관점에 입각해 여성 및 사회적 소수자의 권력 강화를 조력하고 사회를 변화시키려는 상담”(김민예숙, 2011)이다. 여성주의상담을 하기 위해 반드시 가져야 할 철학이고 가치관인 여성주의는 성차별주의에 일차적인 관심을 두지만 사회·경제·계층차별주의, 인종차별주의, 신체능력차별주의, 연령차별주의, 자민족중심주의, 이성애주의 등 인간에 대한 모든 차별과 억압을 극복하려 하고 차별과 배타가 없는 평등하고 평화롭고 민주적인 사회를 지향하는 인간해방철학이다.

서양에서 여성주의상담이 어떻게 발전했는지의 역사는 우리나라에 번역된 『여성주의와 상담』(엔스, 2009)에 상세하게 설명되어 있고, 의식향상집단에 참여했던 여성주의상담가의 이야기 또한 번역되어 출간된 『우리 속에 숨어 있는 힘』(그린스펀, 1995)에 나와 있어 이 책에서 더 이상 자세하게 설명하지 않으려고 한다.

여성주의상담이 한국에 소개된 것은 1983년 창립된 한국여성의전화가 여성폭력피해경험자를 상담하기 위한 상담이론으로 여성주의상담을 선택함으로써 시작되었다. 그 후 30년 정도의 시간이 지난 한국 여성주의상담의 역사에서 의미 있는 일들을 정리해보면 다음과 같다.

- 1974~1994년 크리스찬 아카데미 중간집단교육 중 여성사회교육
- 1977년 이화여대 여성학 강좌 개설(여성학과 대학원 설립으로 이어졌다)
- 1983년 한국여성의전화 창립(전국 지부 창립으로 이어졌다)
- 1991년 한국성폭력상담소 창립(전국 각지의 성폭력상담소 창립으로 이어졌다)
- 1994년 「성폭력특별법」의 제정(성폭력전문상담원 100시간 양성교육으로 이어졌다)
- 1995년 한국여성민우회 부설 가족과 성 상담소 창립
- 1995년 한국여성심리연구회 창립(1996년 한국여성심리학회 창립으로 이

어졌다)

- 1997년 「가정폭력방지법」의 제정(가정폭력전문상담원 100시간 양성교육으로 이어졌다)
- 1998년 한국여성상담센터 창립
- 1998년 아시아태평양지역 여성주의상담자들의 "페미니스트 카운슬링 제1차 워크숍"
- 1999년 아시아태평양지역 여성주의상담자들의 "페미니스트 카운슬링 제2차 워크숍"
- 2001년 「남녀고용평등법」(고용평등상담실 운영으로 이어졌다)
- 2002년 한국이주여성인권센터 창립(전국 지부 창립으로 이어졌다)
- 2002년 김민예숙여성주의상담연구실 창립
- 2004년 「성매매방지법」의 제정(성매매방지상담원 100시간 양성교육으로 이어졌다)
- 2005~2007년 서울여성의전화, 김민예숙 "여성주의상담전문가 양성교육" 첫 시도
- 2009년 인천여성의전화 "이주여성 상담을 위한 여성주의상담전문가 양성교육" 첫 시도
- 2010년 한국여성의전화 부설 여성주의상담실천연구소 창립
- 2012년 한국여성심리학회 산하 여성주의상담연구회 창립

한국 여성주의상담의 역사를 10년 단위로 나누어볼 수 있는데, 각 10년은 여성주의상담을 실천하는 여성운동단체 조직화의 시작(1983~1993), 여성폭력 관련법 제정의 시작(1994~2004), 체계화된 여성주의상담 교육의 시작(2005~)이라는 뚜렷한 특징을 가진다. 각 단계는 조직, 법, 교육이라는 사회적 성과와 함께 논문, 저서, 번역서 등의 연구 성과를 남겼다. 30년의 역사를 분석해보면 한국의 여성주의상담은 여성운동의 맥락에

서 등장했고 처음부터 지금까지 상담활동가/여성운동가들이 여성주의 상담을 주로 담당해왔다는 것이 드러난다(김민예숙, 2011).

한국에서 여성주의상담은 오랫동안 그 수요와 공급이 여성인권단체에 머물렀다고 할 수 있다. 여성인권단체를 찾아오는 내담자들이 여성주의상담의 수요자였고, 여성인권단체의 여성주의상담활동가/여성운동가들과 여성인권단체에서 상담원교육을 받은 자원활동가들이 그들에게 여성주의상담을 공급해왔다. 동시에 여성인권단체의 여성주의상담활동가들과 자원활동가들이 여성주의상담 교육과 슈퍼비전의 수요자들이었다. 그러나 그들은 상담전문가라기보다는 상담활동가였기에 교육과 슈퍼비전이 여성주의상담전문가가 아닌 다른 이론적 접근을 하는 상담전문가에게 의뢰되는 때도 있었고, 접근의 불일치가 교육과 슈퍼비전의 효과를 반감시키기도 했다.

시간이 흐르면서 여성주의상담의 주 수요자인 여성내담자들도 다양해졌다. 최초의 수요자는 매 맞는 아내였는데 그 후 성폭력경험자, 이주여성, 고용차별경험자, 탈성매매여성, 미혼모, 장애여성, 레즈비언, 탈북여성, 가부장적 결혼구조를 변화시키려는 주부, 경력을 추구하는 젊은 여성 등 다양한 수요자가 등장했다. 내담자들 중 그 심리적 상태로 인해 여성인권단체 밖으로 나가 상담전문가를 만나는 경우가 증가했고, 여성인권단체 – 상담소, 쉼터, 자활센터 포함 – 에서도 장기상담이 필요한 내담자들을 의뢰할 여성주의상담전문가를 필요로 하게 되었다.

상담자 편에서도 변화도 생겼다. 상담의 영역이 넓어지면서 폭력피해여성들과 가부장제의 악영향을 받거나 소수집단에 속해 가부장제 사회에서 차별을 경험하는 내담자들을 상담하게 된 몇몇 상담전문가들이 내담자들의 안녕을 위해 여성주의나 여성주의상담에 관심을 가지고 배우려 하게 되었다. 나아가 상담전문가가 되려는 목적이 상담을 통해 여성주의를 실현하려는 것인 여성주의자/상담전문가도 등장하게 되었다.

따라서 내담자를 위해서나 상담자를 위해서나 한국의 여성주의상담에 필요한 것 중 하나는 한국 여성주의상담 30년의 역사에서 드러난 여성의 다양한 경험과 여성심리를 토대로 하면서 여성주의의 렌즈로 여성과 여성의 삶을 보는 여성주의상담이론의 발전이다. 여성주의심리학자인 해나 러먼(Hannah Lerman)은 기존의 성격이론을 비판하고 여성주의 성격이론의 필요성을 말하면서 그 이론이 충족시켜야 할 8가지 가정을 제시했다(Lerman, 1986). 그것은 ① 임상적으로 유용할 것, ② 여성의 다양성(계층, 인종, 성적 지향, 민족성, 삶의 양상)을 포괄할 것, ③ 여성을 긍정적으로 볼 것, ④ 여성의 경험으로부터 나올 것, ⑤ 경험적 자료에 긴밀하게 연결될 것, ⑥ 내적 세계와 외적 세계의 얽힌 관계를 인식할 것, ⑦ 성역할 고정관념을 가진 특정 개념을 피할 것, ⑧ 여성주의상담을 지지할 것 들이다.

이 책은 나의 19년의 여성주의상담자 경험을 바탕으로 만든 임상적으로 유용한 여성주의상담 모델을 담은 것이다. 이것은 어떤 내담자에게도 사용할 수 있는 모델이고, 가족폭력피해경험자와 성폭력피해경험자를 위한 모델은 『여성주의상담의 이론과 실제』(워렐·리머, 2004)에 실려 있다.

여성주의상담은 상담의 지식과 기술과 더불어 여성주의 태도와 가치관을 반드시 갖추어야만 하는 상담이다. 한국보다 10년 정도 앞선 미국의 경우 두 번째 10년에 해당하는 1980년대부터 여성주의상담이 전문성을 추구하다 여성주의와 여성운동으로부터 거리가 생기게 되었고 여성주의상담에서 여성주의상담의 뿌리인 여성운동의 정신이 지켜지고 있는가를 자문하게 되었다(김민예숙, 2011). 한국은 여성인권단체에서 추구해 온 현장의 전문성이 축적되어왔고, 2012년 여성주의상담연구회의 창립이 보여주듯이 여성주의 가치를 가진 상담전문가들이 학문적 전문성을 추구하는 시점에 이르렀다. 서양의 경우를 타산지석 삼아 학문적 전문성을 강조하다 여성운동의 정신을 잃어서 뿌리 없는 여성주의상담이 되는 일이 없어야 할 것이다. 그러려면 우리나라 여성주의상담자들이 어렵더라도 여성주의의 태도와 상담의 지식과 기술의 전문성을 치밀하게 결합해가야만 할 것이다.

## 2 여성주의상담의 원리들

여성주의상담이 기존의 상담이론과 크게 다른 것은, 가치중립임을 표방하지 않고 평등이라는 가치를 추구한다는 것을 명료하게 드러낸다는 것과 인간이 처해 있는 외적(사회문화적) 조건이 인성의 발달에 핵심적인 영향을 끼친다고 여긴다는 점이다. 이러한 철학은 여성주의상담의 원리들에 표현되어 있다.

나는 여성주의상담 모델의 기둥이 되는 원리로 다섯 가지를 사용한다. 서양의 여성주의상담 원리의 역사를 보면 여러 이론가들이 비슷한 내용이지만 조금씩 다르게 분류된 원리를 제시하고 있다(김민예숙, 2010a). 나는 주디스 워렐(Judith Worell)과 파멜라 리머(Pamela Remer), 그리고 캐럴린 저브 엔스(Carolyn Zerbe Enns)가 제시한 원리들 중에서 다섯 가지 원리를 선택해 사용한다(워렐·리머, 2004; 엔스, 2009).

원리는, 첫째 "개인은 사회적·정치적인 위치를 가진다", 둘째 "개인적인 것은 정치적인 것이다", 셋째 "상담자와 내담자는 평등하다", 넷째 "내담자의 권력을 강화한다", 다섯째 "여성/소수자 경험과 다양성을 존중한다"이다. 원리들은 상담에서 각각의 용도를 가진다. 첫째와 둘째 원리는 상담자가 내담자를 어떻게 이해해야 하는가를 가르치는 원리이고, 셋째 원리는 상담자와 내담자의 상담관계는 어떠해야 하는가를 가르치는 원리이고, 넷째 원리는 상담에서 성과가 있다는 것은 무엇인가를 가르치는 원리이고, 다섯째 원리는 상담자가 내담자의 무엇을 어떻게 수용해야 하는가를 가르치는 원리이다. 내가 다섯 가지 원리를 선택한 이유는 여성주의상담에서는 내담자의 심리와 외적 조건의 상호작용을 이해하는 것과 상담자와 내담자의 관계가 평등한 것, 상담의 성과로서 내담자의 권력이 강화되어 내담자가 외적인 조건에 변화를 가져오는 것, 그리고 가부장제 기존질서가 수용하지 않는 내담자의 경험과 다양성을 수용하고 존중해 내담자를 지지하는 것이 필수적인 요소이기 때문이다.

다섯 가지 원리를 자세히 보면 다음과 같다. "개인은 사회적·정치적인 위치를 가진다"라는 첫째 원리는 내담자가 처한 사회적·정치적 위치, 즉 외적 조건이 내담자가 받게 되는 자극을 결정한다는 것이다. 내담자는 주어진 자극에 선택적으로 반응하고 모방하며 자신의 인성을 발달시키는 것이다. 사회적·정치적 위치가 제공하는 사회적 문화가 내담자가 구성하는 개인적 문화에 영향을 미치는 것이다. 그렇기 때문에 상담자는 내담자가 사회적·정치적 위치에서 형성하는 사회적 정체성의 발달 단계도 살펴보아야 한다. 각각의 정체성 발달에는 자각 이전, 만남, 빠져듦, 통합과 행동이라는 네 단계가 있다(워렐·리머, 2004). 내담자의 사회적·정치적 위치를 탐색하는 데에 '권력의 바퀴'를 사용할 수 있다.

"개인적인 것은 정치적인 것이다"라는 둘째 원리는 급진적 여성주의의 구호인 "개인적인 것은 정치적인 것이다"를 받아들인 것으로서, 개인은 사회적·정치적 맥락과의 고유한 상호작용 경험을 내면화시킨다는 것이다. 이 원리를 상담에서 적용하면 현재 드러내고 있는 개인적인 것 중에서 과거의 외적인 조건으로부터 영향을 받아 조건화/내면화시킨 것(성역할, 가족의 문화와 가치관 등)을 찾아내어, 내담자가 원하지 않는 내용에서 벗어나게 도울 수 있다. 외적 조건의 영향과 상대적으로 순수한 내적인 것을 가능한 한 분리하고, 상담 장면에서 그 순수한 내적인 것을 강화해 주체적으로 현재의 외적 조건을 변화시키도록 도울 수 있는 것이다. 이 과정에서 중요한 것은 내담자의 현재 내적 조건들(욕망, 감각, 감정, 생각, 직관 등)을 자각하게 도운 후 이 중 과거 외적 조건들로부터 영향을 받아 조건화/내면화시킨 것 가운데 현재 삶에 방해가 되는 내적 조건들을 자각하게 돕는 것이다. 또한 현재 내적 조건에 영향을 주는 현재 외적 조건을 다루어야 할 경우는 그것도 다루어야 한다. 내담자의 조건화를 탐색하는 데에 '조건화의 모델'을 사용할 수 있다.

"상담자와 내담자는 평등하다"라는 셋째 원리는 상담자가 내담자와 평등한 상담관계를 가지기 위해 노력해야 한다는 원리이다. 여성주의상담에서 평등한 상담관계는 어떤 것일까? 상담관계는 보통의 인간관계가 아니다. 따라서 인격적인 평등은 평등한 상담관계의 필요조건이지 충분조건이 아니다. 상담자는 상담자도 내담자도 각각 다른 영역에서이지만 전문가라는 것을 인정해야 한다. 상담자는 상담에서, 즉 상담과 관련된 지식, 기술, 태도에서 전문가이고 내담자는 자신의 문제에서 전문가라는 것을 인정해야 한다. 상담자는 상담자로서의 전문성(조력능력)을 갖추기 위해 노력하면서 내담자를 내담자의 문제의 전문가로 대하기 위해 상담과정에서 구체적으로 노력해야 한다. 구체적 노력이란 내담자와 함께 상담목표를 정하고, 상담계획을 함께 검토하고, 또한 상담자의 내담자 이해를 확인받는 것 등을 의미한다.

그리고 상담 장면에서 평등한 인간관계를 실천한다는 의미에서, 상담자는 내담자에게 도움이 되는 자신의 경험을 선택적으로 노출하거나 상담과정에서 떠오르는 감정과 생각을 직접 말하는 자기참여반응을 할 수 있다. 또한 상담자는 내담자는 가지지 못했지만 자신이 가진 권력을 자각해 내담자와의 차이를 줄이기 위해 노력해야 하고, 자신의 권력을 내담자의 행복을 위해 사용하도록 노력해야 한다.

"내담자의 권력을 강화한다"라는 넷째 원리는 상담 전의 내담자와 상담 후의 내담자 사이에 권력의 차이가 있어야 한다는 것이다. 왜냐하면 내담자가 문제를 가진다는 것은 상담 전에 자신을 위해 사용할 권력이 적었다는 것이기에, 상담은 내담자의 권력을 약화시키지 않고 강화시키는 성과를 가져야만 여성주의상담이 추구하는 평등의 방향으로 내담자를 도운 것이 되기 때문이다. 또한 상담 후 그 성과를 내담자의 말과 행동을 통해 확인하는 것이 중요하다.

"여성/소수자의 경험과 다양성을 존중한다"라는 다섯째 원리는 여성주의상담의 가치관을 보여주는 원리로서, 가부장제 사회에서 당연시되는 이데올로기나 가치관이 어떤 여성/소수자에게 폭력이 된다면 그 여성/소수자의 시각으로 재조명하며 그 경험의 가치를 존중하는 것이다. 가부장제 사회에서 당연시되지만 여성/소수자인 내담자에게 부정적인 조건이 되는 것은 변화시켜야 할 조건임을 공감하며 내담자에게 정당성을 부여하는 것이다. 예를 들어 현재 성차별, 자민족중심주의, 신체능력차별, 연령차별, 인종차별, 계층차별, 이성애주의 등이 우리 사회의 외적 조건이다. 이것들은 여성주의상담이 추구하는 평등이라는 가치에 어긋나는 차별과 억압을 가져오는 조건이므로 이러한 조건에서 그 존재의 정당성이 부정당하는 사람들의 존재 정당성을 재조명해주고 수용하고 존중해주어야 하는 것이다. 여성만이 아니라 다른 소수자들의 인권 신장을 위해서도 여성주의상담자는 노력해야 한다. 예를 들어 자신과 비슷한 조건에 있는 한국 중산층 비장애인 기혼여성의 인권을 위해서는 열심히 노력하나, 결혼이민자여성의 인권이나 장애인여성의 인권, 동성애여성의 인권에는 반하는 말이나 행동을 한다면 진정한 여성주의상담자라고 할 수 없는 것이다.

첫째와 둘째 원리를 통해 보았듯이 여성/소수자는 자신이 처한 사회적·정치적 위치에서 사회적인 조건의 영향을 받아, 그러한 외적 조건을 내면화시키면서 내적 조건을 형성하고 개인적 자아를 형성한다. 그것을 뒤집어 보면 새로운 외적 조건 속에서 새로운 내적 조건이 형성될 수도 있음을 알 수 있다. 바로 여기에 여성주의상담의 유용성과 희망이 있는 것이다. 왜냐하면 여성주의상담자는 내담자에게 가부장제 사회가 제공하지 않는 새로운 외적 조건을 제공할 수 있기 때문이다.

여성주의상담에서 원리들은 다음과 같이 연결되어 사용된다. 현재 내담자의 심리에서 출발해 그 심리가 형성된 과거 외적 조건과 내면화 과정을 함께 탐색하고(원리 1과 2), 내담자를 그 인과관계를 찾아내는 전문가로 평등하게 대하면서(원리 3), 외적 조건의 부당성을 인정하고 내담자의 시각의 정당성도 지지해(원리 5), 내담자의 권력 강화(원리 4)를 조력하는 것이다. 다시 말해 여성주의상담자는 내담자가 상담을 하는 현재에 새로운 내적 조건을 갖추어, 과거의 외적 조건과 현재의 외적 조건에 맞서 현재의 외적 조건을 변화시킬 수 있는 사람으로 탈바꿈되는 과정을 돕는 것이다.

다섯 가지 원리 중 첫째와 둘째 원리는 〈권력의 바퀴〉와 〈조건화의 모델〉 활동지를 통해 연습해볼 수 있다.

## 3 여성주의상담의 기법들

여성주의상담에서 사용하는 기법 중에 고유하면서도 가장 중요한 기법은 성역할/젠더역할 분석과 권력분석이다.

### 1) 성역할/젠더역할 분석

성(sex)은 생물학적으로 분류되는 성별이고, 젠더(gender)는 사회문화적으로 분류되는 성별이다. 조앤 스콧(Joan Scott)이 "젠더는 성적 차이를 사회적으로 조직화하는 것이며, 신체적 차이에 대해 의미를 수립하는 지식"이라고 정의했듯이(Scott, 1986; 설혜심 재인용, 2011), 젠더는 지구 상에

## 〈권력의 바퀴: 여성주의상담 원리 1의 적용〉

내담자의 사회적·정치적 위치를 알아본다.

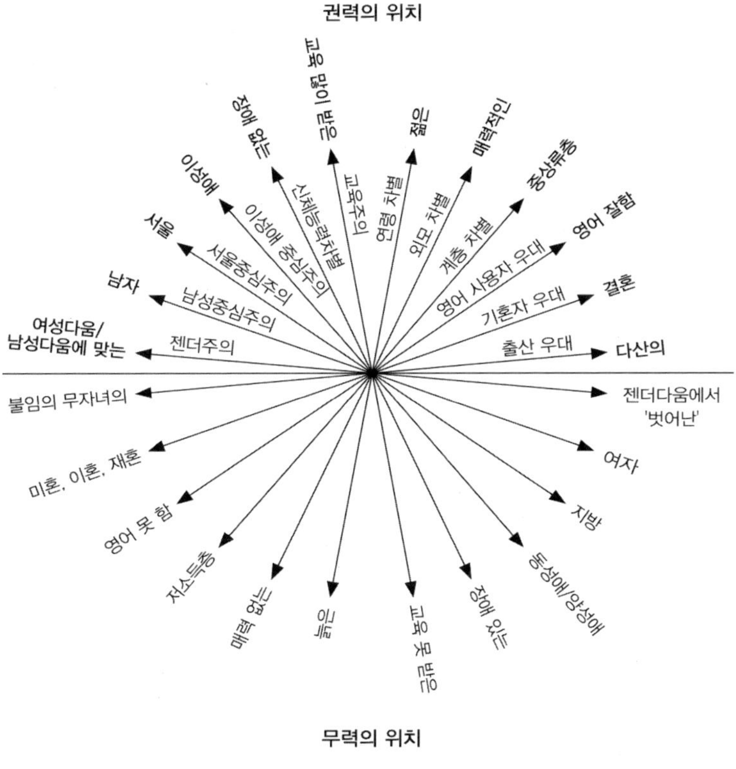


자료: 워렐·리머(2004); 김민예숙 수정.

## 〈조건화의 모델: 원리 2의 이해〉

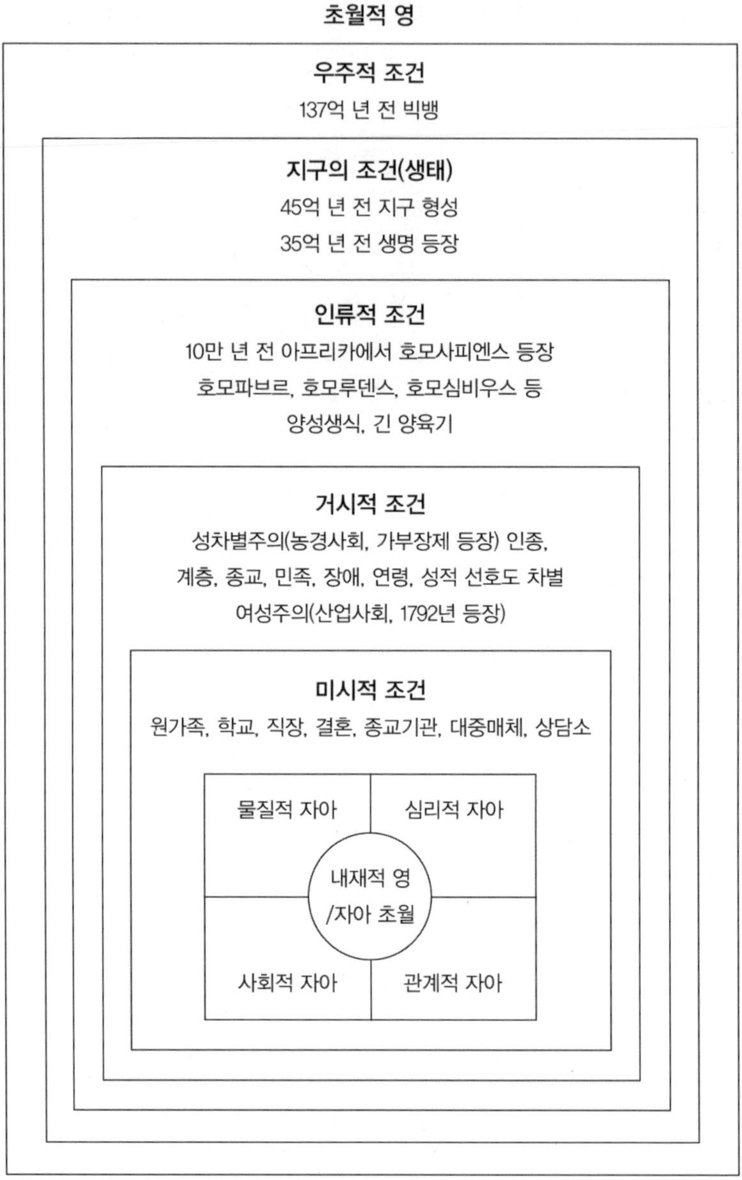

존재하는 사회마다 그 내용에 차이가 있다.

가부장제 사회에서 여성으로 산다는 것은 태어날 때부터 여성으로서의 성역할/젠더역할을 할당받는다는 것이다. 여성은 출산과 수유를 할 수 있는 육체여서 출산이라는 성역할을 할당받는다. 그래서 어떤 어머니는 딸을 낳으면 아이가 커서 출산의 고통을 경험할 수 있다는 사실에 눈물짓기도 하는 것이다. 그뿐만 아니라, 태어난 시대와 사회에 따라 젠더역할을 할당받는다. 어떤 시대의 여성은 가정에서의 일로 남성을 내조하는 역할을, 어떤 시대의 여성은 수입이 있는 사회의 일로 남성을 보완하는 역할을 상반되게 할당받을 수 있는 것이다. 또한 어떤 사회의 여성은 남성을 보조하는 역할을, 어떤 사회의 여성은 생산노동을 하여 남성을 부양하는 역할을 상반되게 할당받을 수 있다. 이런 사회에 태어나는 여성과 남성은 성별과 그 사회의 젠더체계에 따라 다르게 사회화되고 지속적으로 성역할/젠더역할에 대한 사회의 기대에 영향을 받는다.

여성주의상담에서 성역할/젠더역할 분석을 하는 이유는 그 역할이 누구에 의해서 어떤 과정으로 주어지고 받아들여졌는지를 탐색해, 그것이 여성의 주체적인 선택이 아니라면, 또한 여성의 행복에 방해가 된다면 변화를 도모하며 여성의 주체성과 권력을 강화하려는 것이다. 변화를 도모할 수 있는 이유는, 젠더는 생각으로 만들어진 것이기에 "젠더란 행위하는 것"이라고 부를 수 있고 어떻게 행위하느냐에 따라 젠더의 개념이 변화될 수 있기 때문이다.

성역할/젠더역할 분석은 내담자의 자각을 높이기 위해 사용하는 기법이다. 내담자가 과거에 어떻게 사회화되었는지를 알아보고, 현재 자신이 무엇을 원하는지를 알아보고, 미래를 위한 재사회화를 추구하기 위해 고안된 기법이다. 그 단계는 다음과 같다(워렐·리머, 2004).

① 내담자가 그들이 일생에 걸쳐 경험한 직간접적 성역할/젠더역할 메시지

를 알아본다.

② 그런 성역할 메시지로 인한 긍정적이고 부정적인 결과를 알아본다.

③ 그런 외적 메시지를 의식적이고 무의식적인 혼자 말의 형태로 어떻게 내면화시켰는지를 알아본다.

④ 그런 내면화된 메시지 중 어떤 것을 변화시키고 싶은지 결정한다.

⑤ 변화를 감행할 계획을 짠다(인지적 재구성).

⑥ 변화한다. 또한 내담자는 감행한 변화에 대한 환경의 부정적 반응에 대처하는 기술을 배운다.

성역할/젠더역할 분석을 통해서 여성주의상담자는 내담자들이 원하지 않는 성역할/젠더역할로부터 자유로워지도록 조력하면 된다.

### 2) 권력분석

가부장제는 여성에게 남성에 비해 적은 권력을 부여하는 것이 일반적이다. 그래서 여성이 교육을 통해 역량을 갖추어 지위가 높아지고 수입이 많아진다 해도 그에 비례해 권력이 커지지 않고 여성이라는 이유로 권력약화를 경험할 수 있는 것이다. 사회에서 지위가 높은 여성이라도 가정에서 가정폭력을 경험할 수도 있고, 공권력 앞에서 자신을 대표하지 못하고 남성보호자를 요구받는 경험을 할 수도 있는 것이다.

권력분석은 사회에서 여성과 남성 사이에 존재하는 권력의 차이에 대해 내담자의 자각을 높이기 위해, 그리고 내담자의 삶을 결정하기도 하는 대인관계와 제도나 관습에서 내담자가 영향력을 강화하도록 하기 위해 고안된 기법이다. 그 단계는 다음과 같다(워렐·리머, 2004).

① 상담자는 내담자에게 상담에 필요한 권력의 정의를 알려준다.

② 내담자는 여러 종류의 권력에 대해 배운다.

③ 내담자는 자신이 어떤 종류의 권력을 가지고 있는지 알아본다.

④ 내담자는 권력을 사용하는 다양한 방식을 배운다. 그리고 자신이 어떤 방식으로 권력을 사용하는지 알아본다.

⑤ 내담자는 어떻게 성역할/젠더역할 메시지(내면화된 성역할 고정관념)와 환경적 장애(제도화된 성차별주의)가 권력 사용에 영향을 미치는지 탐색한다.

⑥ 내담자는 새로운 종류의 권력 사용을 시도해 자신의 권력 목록을 늘린다.

내가 사용하는 권력의 개념은 "내가 원하는 변화를 가져오는 역량의 소유"이다. 여성주의상담에서 내담자의 권력 강화를 조력하는 이유는 가부장제 사회에서 주체로서 살아오는 데 어려움을 겪었을 내담자가 주체가 되어 자신이 원하는 변화를 가져오는 경험을 하게 하기 위해서이다. 나는 내담자가 소유할 수 있는 권력의 종류를 물질적 권력, 심리적 권력, 사회적 권력으로 나눈다. 이것은 윌리엄 제임스(William James)가 자기개념을 물질적 자기(육체, 외모, 체력, 의식주, 재산 등), 심리적 자기(역량, 소질, 성격, 지력, 지식, 대인기술 등), 사회적 자기(명예, 지위, 타인의 인정, 사회적 관계망 등)로 나눈 것(제임스, 2005)에 기반한 것인데, 내담자가 권력을 근거로 자기개념을 형성하고 자존감을 느끼기 때문이다. 세 가지 권력에 영적 권력을 덧붙였는데, 현재 다른 권력이 없다 해도 의지와 같은 영적 권력이 있으면 권력 강화를 조력할 수 있기 때문이다.

파울러 존슨(Paula Johnson)은 성역할의 영향을 받는 권력 사용 방식의 세 차원을 개념화했다(Johnson, 1976). 그것은 첫째 권력을 상대에게 직접 사용하는지 또는 간접 사용하며 조종하는지의 차원, 둘째 권력을 사용할 때 대인관계에 의존하지 않는 구체적(체력, 지식, 전문성, 재산, 지위 등)인 권력내용을 사용하는지 또는 대인관계에 의존하는 개인적(호감, 애정, 매력, 섹시함, 인정 등)인 권력내용을 사용하는지의 차원, 그리고 권력을 드러내며 유능해 보이는 전략을 사용하는지 또는 권력을 감추며 무능해 보이는 전략을 사용하는지의 차원이다. 이 세 차원으로 내담자의 권력 사용 방식을 점검해볼 수 있다.

존슨에 따르면 여성들은 일반적으로 권력을 간접 사용해 조종하고, 개인적 권력내용을 사용하고, 무능해 보이는 전략을 사용하는 경향이 있다고 한다. 그러나 간접 사용은 종속의 위치에 머물게 하고 자긍심을 낮게 하고, 개인적 권력내용만 가지면 영향의 범위가 좁아지고 자신의 권력을 인정해줄 타인에게 의존하게 되어 자긍심이 높아지기 어렵다. 또한 무능해 보이는 전략은 단기적인 효과는 가져오나 높은 지위에 가지 못하게 해 자긍심을 낮게 한다. 그러므로 여성 내담자가 그런 방식으로 권력을 사용하고 있다면 여성주의상담자는 그 결과를 알게 해서 변화를 촉진하면 된다.

여성심리학자 진 베이커 밀러(Jean Baker Miller)는 여성들이 권력사용을 두려워하는데 그 이유는 남들이 이기적인 사람으로 보는 것, 그로 인해 남들로부터 공격받고 비난받는 것, 나아가 관계가 단절되는 것을 경험할 가능성이 있기 때문이다(Miller et al., 1991). 여성들에게는 관계가 가치의 우선순위를 차지하는 경우가 많기에 관계를 손상시키는 권력사용을 피하려는 경향이 있는 것이다. 여성들이 원하는 권력은 밀러가 말한 대로 자신도 상대도 강화시키는 권력인데, 권력분석을 통해서 여성주의상담자는 내담자들이 자신이 원하는 권력과 권력 사용 방식을 체득할 수 있게 조력하면 된다.

성역할/젠더역할 분석과 권력분석 외에 여성주의상담에서 중요하게 사용되는 기법들은 자신의 권리를 주장하되 타인의 권리도 배려하며 하는 기술을 배우는 주장 훈련, 여성으로서의 자신을 자각하게 하는 의식향상, 자신과 자신의 경험을 다르게 보게 하는 관점 바꾸기와 긍정적인

## 〈성역할/젠더역할 분석〉

| | 여/남자라서 해야 하는 것 | 여/남자라서 하지 말아야 하는 것 |
|---|---|---|
| 지금까지 내면화시켜 수행한 성역할/젠더역할 메시지 중 현재 나를 불편하게 하는 메시지 내용은? (관계, 일 등) | | |
| 메시지를 전한 메신저는? | | |
| 메시지를 지킬 때의 이득/손해와 안 지킬 때의 이득/손해는? | | |
| 내면화된 성역할/젠더역할 메시지를 바꾸고 싶은가? | | |
| 새 삶을 위해 메시지를 재구성한다면? | | |
| 새 메시지의 실천을 위한 전략은? | | |
| 지지집단은? | | |

## 〈권력분석〉

| | |
|---|---|
| 권력의 정의 | 내가 원하는 변화를 가져오는 역량의 소유 |
| 권력의 내용 | 권력에는 어떤 것이 있나?<br>물질적 권력:<br>심리적 권력:<br>사회적 권력:<br>영적 권력: |
| 과거의 소망 | 나는 과거 어떤 권력을 가지고 싶었는가?<br>물질적 권력:<br>심리적 권력:<br>사회적 권력:<br>영적 권력: |
| 현재의 성취 | 나는 현재 어떤 권력을 가지고 있는가?<br>물질적 권력:<br>심리적 권력:<br>사회적 권력:<br>영적 권력: |
| 필요했던 노력 | |
| 권력 사용<br>방식과 그 결과 | 직접 대 간접<br>구체적 대 개인적<br>유능 대 무능 |
| 현재의 소망 | 나는 어떤 삶을 살고 싶은가? |
| 미래의 권력 | 그 삶을 위해 필요한 권력은 어떤 것들인가?<br>물질적 권력:<br>심리적 권력:<br>사회적 권력:<br>영적 권력: |
| 필요한 노력 | 그런 권력을 가지려면 나는 무엇을 해야 하는가? |

이름으로 부르게 하는 재명명이 있다.

성역할/젠더역할 분석과 권력분석은 〈성역할/젠더역할 분석〉과 〈권력분석〉 활동지를 통해 실습해볼 수 있다.

제2장

# 여성주의상담을 위한 여성심리

상담을 하려면 내담자의 심리를 알아야 한다는 것은 상식이다. 그런데 내담자의 대부분을 차지하는 여성의 심리에 대해서는 상담자들이 관심을 가지지 않는 편이다. 관심을 가지는 경우라면 가정폭력피해경험자의 심리, 성폭력피해경험자의 심리, 성매매피해경험자의 심리 등 이미 폭력피해 여성이 된 여성의 심리이다. 일반적인 여성의 심리에 대해서는 관심을 가지지 않고 폭력피해를 경험한 여성의 심리에 대해서는 관심을 가진다는 것은, 건강한 여성의 심리는 남성의 심리와 마찬가지이고 성역할이나 섹슈얼리티와 관련된 피해에서나 여성심리가 나타난다는 것을 전제하는 것일 수도 있다. 이것은 이미 1970년에 브로버만(Broverman)과 동료들이 남성들의 성역할과 건강을 동일시하는 이슈를 연구해 드러낸 편견이다.

여성내담자를 잘 조력하려면 폭력피해 여성의 심리뿐만 아니라 건강한 여성의 심리를 포함한 여성심리를 알아야 한다. 따라서 여성주의상담을 하려면 여성심리를 알려고 노력해야 한다. 그런데 현재까지의 연구결과를 볼 때 본질적인 여성심리라는 것이 있다기보다는 현상적으로 여성들에게 더 많이 나타난다는 의미에서 여성심리가 있는 듯하다. 그렇다면 그런 여성심리가 무엇인지를 이해하고, 무엇보다 어째서 그런 심리가 드러나는지를 아는 것이 중요하게 된다. 그래서 제2장에서는 내가 2007년부터 강의하고 연구해온 여성심리의 내용을 정리했다.

## 1 여성적 마조히즘: 정신분석이론을 중심으로

여성심리를 최초로 연구한 연구자는 지그문트 프로이트(Sigmund Freud)이다. 마조히즘에 관한 프로이트의 주요 논문에는 두 가지가 있다. 하나는 1919년에 쓴 「한 아이가 맞고 있다」로, 프로이트는 여아의 본능도 본래는 남아와 마찬가지로 사디즘적인데, 아버지에 대한 근친상간적 사랑에 대한 죄책감으로 인해 마조히즘적이 되고 그래서 여성적 마조히즘이 생긴다고 설명하고 있다. 즉, 마조히즘을 이차적인 현상으로 보는 것이다.

그러나 1924년에 쓴 또 하나의 논문인 「마조히즘의 경제적 문제」에서는 마조히즘을 일차적인 현상으로 보고 그것을 세 종류로 나누고 있다. 첫째는 성애발생적(erogenic) 마조히즘으로 고통에서 쾌락을 느끼는 경우이다. 더 정확히 말하자면 고통과 함께 쾌락을 느끼는 경우이다. 마르키 드 사드(Marques de Sade)가 1785년에 쓴 소설 『소돔의 120일』을 보면 발기하고 사정하기 위해 매춘여성에게 때려줄 것을 요구하는 남자의 이야기가 나오는데, 그 남자는 성애발생적 마조히즘의 극단적 예가 될 것이다. 둘째는 여성적 마조히즘으로 여자들처럼 무력한 존재로 – 여자들을 거세당하고 성교당하는 존재, 선택의 여지 없이 아이나 낳는 존재로 여기면서 – 취급당하기를 원하는 것이다. 남성환자들에게서 이것을 관찰할 수 있었기에 프로이트는 여성적 마조히즘이 가장 관찰하기 쉽고 설명하는 데 문제없는 경우라 보았는데, 여성심리를 연구하는 여성주의상담가에게는 가장 문제가 많은 것이 아닐 수 없다. 셋째는 도덕적 마조히즘으로 무의식에 있는 죄책감 때문에 벌 받을 필요를 느끼는 경우여서 이때 중요한 것은 괴로움 그 자체이다. 순교 당하기를 바라는 종교인은 도덕적 마조히즘의 극단적인 예가 될 것이다. 프로이트는 성애발생적 마조히즘이 모든 마조히즘의 기초가 된다고 했다.

프로이트는 여성적 마조히즘을 설명하는 데 문제가 없다고 했지만, 사디즘적인 여아의 본능이 마조히즘적인 것으로 바뀌는 것을 좀 더 강력하게 설명할 필요성을 느꼈던 것 같다. 프로이트가 여성의 심리에 대해 쓴 논문들 ─ 「성의 해부학적 차이에 의한 심리적 결과」(1925), 「여성의 섹슈얼리티」(1931), 「여성성」(1933) ─ 에서 제기하는 질문은 어떻게 여아가 첫 번째 사랑의 대상인 어머니를 버리고 아버지를 선택하는가 하는 것이다. 프로이트에게는 모녀간의 근원적인 동성애가 이성애에게 자리를 내주는 것이 몹시 이상했던지 그가 찾을 수 있는 모든 이유를 찾아냈다. 어머니가 거세된 성기를 주었기 때문이라는 악명 높은 이유뿐만 아니라, 어머니가 젖을 적게 주었기 때문이라든지, 어머니가 아이를 만져 성적 자극을 주고는 자위를 금지시키기 때문이라든지, 어머니가 동생에게 열중하기 때문이라든지, 가까운 사람에게 느끼게 되는 양가감정 때문이라든지 하는 모든 이유를 찾아 열거했던 것이다.

그러나 프로이트 시대에 속한 모든 정신분석가들이 프로이트의 의견에 동의했던 것은 아니다. 신프로이트학파에 속하는 카렌 호나이(Karen Honey)는 1935년에 쓴 「여성적 마조히즘의 문제」라는 논문에서 "여성은 마조히즘적이다"라는 명제를 비판한다. 마조히즘적인 남성환자들이 여성을 ─ 괴로워하는 ─ 모방하는 증상을 보이는 것을 관찰하고는 의사들이 확대 해석을 했다는 것이다. 예를 들어 독일의 의사인 크라프트-에빙(Kraft-Ebbing)은 자허마조흐(Sacher-Masoch)라는 작가의 이름으로부터 마조히즘(masochism)이라는 단어를 만든 사람인데, 마조히즘이란 여성적 특징이 과도하게 성장했을 때 생기는 현상이라고 보았고, 위에서 보았듯이 프로이트도 마조히즘과 여성성을 연결시켰다는 것이다. 네밀로프(Nemilow)라는 러시아 산부인과 의사는 여성들이 겪는 처녀막 파열, 월경, 출산 등의 괴로움에 경탄하며 그 일들을 '여성의 피비린내나는 비극'이라고 시적으로 표현하기까지 했다.

호나이는 마조히즘이 여성의 해부학적인 운명이라고 보는 일부 정신분석가의 견해를 비판한다. 여성들이 성장의 과정으로 겪는 일일 뿐인데 그 생리적인 사건에 지나치게 직접적인 심리적 의미를 부여한다는 것이다. 호나이는 해부학적인 조건이 마조히즘을 필연적으로 가져오는 것은 아니고 마조히즘을 키우는 바탕이 되어줄 수는 있다고 한다. 여성의 육체가 남성보다 약하다는 점, 여성에게는 강간당할 가능성이 있다는 점, 여성은 월경과 처녀막 파열과 출산을 경험한다는 점, 그리고 성교에서의 남녀의 차이가 있다는 점 —여성은 관통당하는 것으로 인식될 수 있다는 점— 들이 그것인데 경험 그 자체보다는 경험을 해석하는 문화적 요인들이 더 중요한 바탕이 된다는 것이다. 문화적 요인을 강조하는 근거로 호나이는 첫째로 정신분석 후 여성환자에게서 마조히즘이 사라진다는 점과 마조히즘적이지 않은 여성들이 존재한다는 점을 들고 있다. 사회문화적 영향에 대한 구체적인 예로는 남편이 때리지 않으면 사랑하지 않는다고 느끼던 러시아의 농촌 아낙이 이제는 때리는 것을 이상하게 여기는 소련의 여자로 변했다는 사실을 들고 있다.

현대의 페미니스트에 속하는 제시카 벤저민(Jessica Benjamin)은 마조히즘을 여성의 운명으로 보는 것을 거부하는 호나이의 맥을 잇고 있을 뿐만 아니라 정신분석의 이론적 발달에 힘입어 호나이보다 더 정신분석적이 되었다. 선배 격인 호나이는 마조히즘적이 되는 여성의 심리내적 과정에 대해서는 말하지 않았던 것이다. 남근의 결핍을 발견한 여아가 극도의 정신적 고통 속에서 성적 흥분을 느끼게 되고 그 후 성적 욕망을 마조히즘적으로 추구하게 된다는 산도르 라도(Sandor Rado)의 정신분석 이론을 불충분한 설명이라고 비판했을 뿐이지 호나이는 자신의 이론을 정립하지 않았다.

그렇지만 벤저민은 1990년에 쓴 「욕망의 소외: 여성의 마조히즘과 이상적 사랑」이라는 논문에서 정신분석으로부터 발전한 세 가지 이론 중 하나인 대상관계이론에 근거를 두고 (나머지 두 이론은 자아심리학과 자기심리학이다) 여성이 마조히즘을 발달시키는 심리내적 과정을 살펴보고 있다. 해부학적 사실 때문이 아니라 대상관계 속에서의 필요에 의해 마조히즘이 발달한다는 것이다.

대상관계이론을 잠깐 살펴보면 아이는 관계에 관심이 없는 자폐단계와 어머니를 자신과 분리된 존재로 자각하지 못하는 공생단계를 거쳐 분리-개체화 단계로 들어간다. 분리-개체화 단계의 하부단계 네 가지 중 세 번째인 재접근단계에서(하부 네 단계란 분리단계, 세계탐험단계, 재접근단계, 개체성의 견고화단계이다) 아이는 분리와 성(性) 동일시를 시작하는데, 자신이 어머니로부터 분리된 존재임을 날카롭게 느끼고 아버지의 차이를 인지하게 된다. 이때 어머니는 일차적 동일시 대상이고 아버지는 그 어머니로부터 분리해내는 힘을 가진 존재이다. 즉, 아버지는 모자(母子)의 이원성을 깨는 사회적 존재이며 분리된 자아의 이상이며 욕망의 주체에 대한 모델이 된다. 이렇게 어머니와 아버지의 역할이 다르기 때문에 재접근단계에서 성차가 생기고 만다. 소년은 분리-개체화를 성 정체성의 틀 안에서 쉽게 해결한다. 소년은 아버지와 동일시하면서 어머니로부터 분리된다. 소년은 분리된 자아의 이상인 아버지와 동일시함으로써 개체성을 획득하고 동시에 남성의 성 정체성을 획득하는 것이다.

그렇지만 소녀는 그렇게 확실하게 분리-개체화를 이룰 수 없다. 소녀는 개체성을 위해서 공생관계에 있던 어머니로부터 분리되어야 하며 동시에 여성의 정체성을 위해 동성인 어머니와 동일시해야 하는 어려움에 처한다. 또한 다른 성을 가진 아버지와 동일시하며 분리된 자아를 성취해야 하기 때문이다. 따라서 소녀는 분리된 자아의 이상(理想) 자리에 타자(남성)를 놓기 쉽다. 문제의 시작은 최초의 동일시 대상인 어머니가 성적 주체가 아니고 자신의 욕망이 없고 아이의 이익에 헌신하는 존재여서, 어머니와 동일시하면서 능동적인 성적 주도자인 여성이라는 존재감각을 창조하지 못한다는 것이다. 그다음 문제는 소녀가 욕망의 주체에 대한 모델이 되어주는 아버지와 동일시해 능동적인 주도자(agent)가 되려고 하지만 동일시하지 못할 때, 소녀는 성적 주도성을 성취하지 못하고 주도자의 자리에 타자(남성)를 놓는 마조히즘으로 간다는 점이다.

여기서 주목해야 할 점은 벤저민처럼 마조히즘의 근거를 해부학에서 찾지 않을 때 마조히즘의 의미는 더 이상 '고통 속에서의 쾌락'이 아니라는 점이다. 마조히즘에 대한 현대적 담론은 일차적 동일시의 대상과 분리하지 못하기에 개체화를 이루지 못한다는 것, 자신의 주체를 확립시키지 못하는 대신에 대상을 이상화시킨다는 심리에 관한 이야기가 된 것이다. 즉, 마조히즘의 핵심은 고통이 아니라 복종이 되는 것인데, 복종을 즐긴다는 것은 통제와 안전의 조건으로 보이는 것에 자아를 맡기고 타자의 통제를 느끼면서 자신의 깊은 자아를 찾으려 하고 타인의 지배에 의해 자신의 욕망을 배출하는 것을 즐긴다는 것이다. 이 마조히즘은 장 폴 사르트르(Jean Paul Sartre)가 『존재의 무』(1976)에서 내린 정의, 즉 "마조히즘은 타인에 의해서 자기의 주관성을 재동화(再同化) 받음으로써, 주체성을 없애버리기 위한 하나의 끊임없는 노력"에 해당되는 것이다.

프로이트를 비롯한 몇몇 정신분석가들은 고통 속에서 쾌락을 느끼는 여성들을 관찰했다. 그러나 진통제로 월경의 고통을 경감시키고 제왕절개수술로 출산의 고통을 회피하는 현대 여성들은 그 반증이 되고 있다. 그렇다고 마조히즘적인 여성이 사라졌다고 말하기에는 이르다. 현대의 여성주의자들은 복종 속에서 쾌락을 느끼는 여성들을 발견하는 것이다.

폴린 레아주(Pauline Reage)가 1954년에 쓴 소설 『O의 이야기』가 그 좋은 예가 될 것이다. 벤저민은 1983년에 쓴 「주인과 노예: 에로틱 지배의 환상」이라는 논문에서 주인공 O와 그의 남자친구 르네의 관계를 헤겔(Hegel)의 주인과 노예의 변증법으로 분석하고 있다. 사진사라는 직업을 가진 O라는 여성은 르네로 대표되는 남자들에게 자발적으로 복종한다. O가 복종을 하는 이유는 강자에 의해 인정받고자 하기 때문이다. 그녀는 지배자의 힘이 자신을 세게 짓눌러올 때 자유로워진다고 느끼는 것이다. "무엇보다도 그녀에게는 선택의 자유가 없었다. 그러나 그녀는 그곳에서 끝내 자유를 얻었다. 그 자유는 완전한 복종을 통해 얻어지게 되었다." 그러한 O를 가부장적 문화에 의해 세뇌당하고 피해자가 된 여자로만 단순하게 보면 그녀가 느끼는 심리적 만족을 설명하지 못한다. 어머니로부터 적절한 분리를 하지 못해 세상과 주체적으로 관계하는 개체성을 스스로 성취하지 못했을 경우, 자신을 개체로 느끼게끔 하는 것은 자신의 존재감각을 압박해오는 타자의 지배력이라는 점을 놓쳐서는 안 된다.

벤저민은 여성에게 나타나는 마조히즘을 자아 병리라고 본다. 능동적 욕망의 주체가 되지 못하는 어머니와 동일시해야 하고 또 분리해야 하고, 그리고 이성(異性)인 아버지와의 동일시해야 하는 어려운 과정에서 여성이 겪기 쉬운 병리라는 것이다. 벤저민은 이 병리의 원인을 성별 분업을 강요하는 현행 이성애의 구조라고 본다. 그 구조 속에서 아버지는 멋진 바깥세계를 공급하고 모자의 이원관계에 출구를 마련하는 역할을 담당하고 있으며, 어머니는 공생관계를 공급하고 분리당하는 역할을 담당하고 있다. 따라서 여성이 마조히즘이라는 함정에 빠지지 않으며 성장하려면 가부장적 성별 분업이 없어져야 하며 어머니가 능동적인 주도자로 변신해야 한다고 벤저민은 진단하는 것이다.

벤저민의 분석을 빌려 우리는 여성적 마조히즘은 존재하기도 하고 존재하지 않기도 한다고 결론지을 수 있다. 해부학적으로 여자라는 이유만으로 마조히즘의 심리를 갖는 것은 아니라는 의미에서 여성적 마조히즘은 존재하지 않는다고 할 수 있고, 한 여성이 성장해가면서 마조히즘적인 심리를 가지기 쉬운 가부장적 구조 속에서 살고 있다는 점에서 여성적 마조히즘은 존재한다고 할 수 있는 것이다. 벤저민의 분석의 가치는 현재 존재하는 여성적 마조히즘이란 대상관계의 변화와 함께 사라지리라는 희망을 준다는 데 있다.

## 2 중화되지 않은 친교성: 여성적 마조히즘의 또 다른 이름

여성적 마조히즘의 또 다른 이름이라고 할 수 있는 개념이 새롭게 제시되고 있어 소개한다. 정신건강의 측면에서 여성과 남성의 일반적 차이를 인정하지 않는 심리학자들도 있지만, 우울증을 경험하는 내담자 중에 여성이 남성의 두 배 정도 많다는 사실에는 거의 모든 심리학자들이 동의한다. 여성심리학자 중에 여성이 우울증에 많이 걸리는 이유가 여성적 마조히즘과 같은 현상 때문이라고 분석한 심리학자가 있다. 놀렌-혹스마(Nolen-Hoeksema)와 동료들은 여성들이 우울증을 많이 경험하는 이유는 지배력(mastery)에 대한 낮은 감각을 갖고 있기 때문이라고 분석하는 것이다(Nolen-Hoeksema, Larson, and Grayson, 1999). 지배력에 대한 낮은 감각은 주도성(agency)을 발휘해 자신이 원하는 대로 환경을 변화시키고 환경에 영향력을 끼치는 지배력을 경험하지 못하는 데에서 오는 것이다. 이것은 1990년에 발표된 미국심리학회 후원으로 이루어진 3년에 걸친 연구결과와도 일치한다. 연구책임자 엘렌 맥그래드(Ellen McGrath)는 "연구팀은 남성보다 여성이 정말로 더 우울해한다는 것을 발견했는데, 그것은 일차적으로 현대 문화에서 여성으로 살아가는 그들의 경험에서 기인한다"고 했다(타브리스, 1999에서 재인용). 그 경험이란 궁핍, 불행한 결혼 생활, 임신·출산의 스트레스, 성적·신체적 학대 등으로 인한 것이었다.

데이비드 베이캔(David Bakan)은 인성에는 친교성(communion)과 주도성이라는 두 가지 차원이 있으며, 주도성이란 "개체로서 유기체로 존재하는" 성질이고, 친교성은 "개체가 부분이 되는 더 큰 유기체에 그 개체가 참여하는" 성질이라고 정의했다(Bakan, 1966). 베이캔의 개념을 발전시킨 비키 헬게슨(Vicki Helgeson)은 두 차원을 대립하는 이원적 관계로 파악하지 않고 조화를 이룰 수 있는 관계로 파악한다(Helgeson, 1994). 과거에 친교성은 여성성으로 주도성은 남성성으로 불렸고 친교성이 여성에게 많이 나타난 것은 사실이다. 그러나 여성에게 많이 나타나는 특성이라고 해서 친교성을 바로 우울증의 원인이라고 보는 것은 여성심리를 잘못 이해하는 것이라고 한다. 왜냐하면 친교성이란 타인에게 초점을 맞춘다는 넓은 개념으로서, 중화되지 않은 친교성과 중화된 친교성으로 나누어질 수 있기 때문이다(Helgeson and Fritz, 2000). 중화되지 않은 친교성이란 자신을 배제할 정도로 타인에게 초점을 맞추는 것이어서 주도성과 양립할 수 없는 성질이고, 중화된 친교성이란 자신과 타인 모두에게 초점을 맞출 수 있는 것으로 주도성과 양립하는 성질인 것이다. 두 가지 친교성 중에서 여성에게 우울증을 경험하게 하는 것은 중화되지 않은 친교성이다. 문제는 여성에게 중화되지 않은 친교성이 많이 나타나는 원인이다. 이렇게 분석해볼 때 중화되지 않은 친교성이야말로 자신을 타인에게 예속시키는 여성적 마조히즘의 또 다른 이름이라고 할 수 있다. 여성이 남성보다 중화되지 않은 친교성이라는 특성을 많이 나타낸다는 것은 우울증 연구가 지적한 여성이 처하기 쉬운 환경이 여성에게 친교성을 중화시키는 자극을 주지 않기 때문일 것이다. 베이캔이 지적한 대로 인성에 두 가지 차원이 있다면 여성에게 필요한 것은 친교성과 주도성이 균형을 이루게 하는 환경일 것이다.

주도성의 경우도 마찬가지이다. 중화되지 않은 주도성은 타인을 배제할 정도로 자신에게 초점을 맞추는 것이어서 친교성과 양립할 수 없으나, 중화된 주도성은 자신과 타인 모두에게 초점을 맞추어 친교성과도 양립 가능하다. 중화되지 않은 주도성은 남성에게 많이 나타나는데, 남성에게 타인에 대한 둔감과 과도한 지배와 폭력을 경험하게 할 수 있다. 그런데 이것 역시 본질적인 남성심리라기보다는 남성의 지배가 많은 가부장제 사회에서 남성이 처하기 쉬운 환경과의 관계에서 발달한 특성일 가능성이 크다. 여성과 마찬가지로 남성에게 필요한 것도 친교성과 주도성이 균형을 이루게 하는 환경일 것이다.

앞서 설명한 여성적 마조히즘이라는 개념은 『정신질환 진단 및 통계편람(Diagnostic and Statistical Manual of Mental Disorders: DSM) III』 개정판에서 자기패배적 인성이라는 진단명으로 바뀌었고 『DSM IV』에서는 그 진단명도 없어졌다. 그러나 여성들에게 중화되지 않은 친교성이 계속 나타난다면 여성적 마조히즘이라는 이름이 없다 해도 우울증을 경험하게 하는 마조히즘과 같은 심리적 기제는 존재하는 셈이다. 그러므로 중화되지 않은 친교성이라는 심리적 특성이 여성에게 나타난다면 중화시키려는 노력이 필요한 것이다. 여성주의상담자는 친교성이 여성의 선천적 성향 중 중요한 것이라고 해도, 여성의 중화되지 않은 친교성은 선천적인 것이 아니라는 것을 기억해야 한다. 중화되지 않은 친교성을 보이는 여성내담자가 처한 삶의 맥락을 이해하고 중화를 위한 새로운 조건화 – 상담자와의 상호작용을 포함한 – 그리고 사회적 변화를 시도해야 여성적 마조히즘, 즉 여성의 비주체성이 사라지게 할 수 있을 것이다.

## 3 조건화의 결과로서의 여성심리

벤저민과 헤겔슨이 여성적 마조히즘이라고 불리어온 중화되지 않은 친교성, 즉 여성의 비주체성은 여성이 처하기 쉬운 조건 속에서의 조건화의 결과라고 분석함으로써 현상적인 여성심리에 대한 이해가 더욱 깊어졌다. 여성적 마조히즘 이외에도 현상적으로 여성들에게 나타나는 여성심리가 있는데 그런 심리들이 조건화의 결과라고 말한 여성주의 정신분석가들이 있어 소개한다. 이들의 주장은 대체로 문화적 여성주의로 분류된다. 이들 중 밀러는 가부장제에서 평가절하되어온 친교성이나 배려 같은 여성의 심리적 특성을 재해석해 여성심리라 불리는 특성에 정당성을 부여해 여성의 자긍심을 높였다는 평가를 받았다는 점에서 독특하다. 그런데 여성들을 전통적 성역할에 가두어온 전통적인 심리적 특성을 긍정적으로 평가해 여성의 본질을 말하는 본질주의에 빠지는 위험, 그리고 여성들을 계속해서 전통적 성역할에만 머물게 할 수 있다는 위험이 있다는 지적을 받아 여성심리를 분석하는 데 어려움을 보여주었다.

나도 여성심리를 남성심리와 대립되는 이분법적으로 이해하는 것은 여러 연구들이 증명했듯이 적절한 접근이 아니라고 생각한다. 또한 문화적 여성주의에서 말하는 여성심리도 본질적인 여성심리에 대한 주장이라고 해석하는 것은 무리가 있다고 생각한다. 그들 역시 여성심리의 변화 가능성과 사회문화의 변화에 대해 말하고 있기 때문이다. 여성이 타고난 심리적 성향들은 남성과 비교해볼 때 같은 점도 있고 다른 점도 있는데, 여성의 심리적 성향들이 발달하는 환경인 삶의 맥락은 남성과 다른 경우가 많다. 가장 뚜렷한 것은 성역할의 차이와 권력의 차이이다. 그렇기에 한 사람을 이해하려면 개인과 삶의 맥락과 상호작용에 주의를 기울여야 하는데, 문화적 여성주의에 속하는 여성주의 정신분석가들의 통찰들은 여성주의상담에서 여성내담자를 상담할 때 어떤 지점에서 어떻게 주의를 기울여야 할지 파악하는 데 가치 있게 활용될 수 있을 것이다.

### 1) 호나이

호나이는 남아를 선호하는 가부장제 가족문화가 여성심리를 조건화하는 현상들을 통찰했다. 프로이트와 동시대 인물인 호나이는 생물학적 결정론 대신 문화적 조건화를 통찰했다는 이유로 파문당했다.

(1) 딸/여성은 아버지의 사랑을 받으려고 하지만 아버지가 아들을 사랑하고 딸을 사랑하지 않을 때 아버지의 사랑을 받지 못함에 실망해 스스로 남성과 동일시해 남성이 되려고 하는 “남성콤플렉스”를 가지게 될 수 있다. 남성과 동일시해 동성애를 하게 될 수도 있다.

(2) 핵가족의 남성구성원인 아버지와 오빠가 딸이며 여동생인 여성보다 아내이며 어머니인 어머니를 더 사랑해 남성을 향한 사랑에서의 경쟁에서 패배했다고 느끼면 딸/여성은 “사랑을 과잉평가하게 되어 남성의 사랑을 획득하기 위한 강박적 경쟁”을 하게 될 수 있다.

(3) 딸/여성은 어머니의 사랑을 받으려고 하지만 어머니가 아들을 딸보다 더 사랑할 때, 어머니로부터 사랑을 받지 못해 자존심에 상처를 입으면 딸/여성은 “사랑에의 신경증적 요구”를 하게 될 수 있다고 했다. 딸은 “내가 어떻게 행동하든지 당신은 나를 사랑해야 한다”라는 태도로 무조건적인 사랑에 대한 탐욕을 보이며 자신의 사랑이 거부당하는 것에 대한 심각한 공포를 느끼지만 실제로 자신을 타인에게 사랑을 주는 능력은 개발되지 않아 사랑에서는 무능해진다.

### 2) 밀러

밀러(1988)는 가부장제 사회의 지배집단이 여성에게 할당한 성역할인 종속집단의 역할이 여성심리를 조건화한다고 했다. 밀러는 불평등에는 잠재적 불평등과 영속적 불평등이 있는데 잠재적인 것은, 현재는 불평등하지만 평등을 지향하는 것이고, 영속적인 것은, 불평등 자체를 지향하고 유지하려는 것이라고 분류했다. 잠재적 불평등의 예로는 부모자녀관계, 사제관계, 상담자와 내담자의 관계가 있고, 영속적 불평등의 예로는 주인과 노예의 관계와 남녀관계가 있다. 오랫동안 영속적 불평등을 지향해온 남녀관계는 여성에게 종속집단의 역할을 할당했다는 것이다. 여성심리는 종속집단에 속해 살면서 가지게 된 심리이다.

(1) 여성이 무력한 집단에 속해왔기에, 여성은 무력함을 쉽게 드러낼 줄 안다. 무력함 자체는 좋은 것은 아니나 무력함이 없는 사람은 없고 무력함을 드러내야 성장할 수 있기에 무력함을 드러내는 것은 여성에게 강점으로 작용하는 경우들이 있다. 상담에서 방어를 풀고 무력함을 드러내어 치유되는 것이 그 예 중 하나이다.

(2) 여성에게 할당된 정서노동의 성역할이, 여성으로 하여금 정서를 중요하게 여기게 하고 타인의 정서를 민감하게 감지하게 하고 정서적 관계를 잘 하게 한다. 정서에 민감한 것은 자신의 정서에 접촉하고 관계를 촉진하는 장점이 있다. 반면에 관계에 대한 과도한 책임을 여성이 지게 되는 단점이 있다. 사회적으로는 정서노동이 필요한 일들이 주로 여성에게 할당되고 그런 일들은 낮은 지위와 보상을 받는다는 것이 문제이다.

(3) 여성에게 할당된 자녀양육의 성역할이, 여성으로 하여금 타인의 성장과 발전에 참여하는 것을 좋아하고 타인의 성장을 기뻐하는 특성을 지니게 한다고 했다. 타인에게 관심을 갖고 타인을 잘 돌보고 순수하게 타인을

위할 줄 아는 장점이 있다. 반면에 타인을 위해 자신을 희생하게 되거나 그것을 당연하게 여기는 타인에 의해 여성이 이용당하는 단점이 있다.

밀러는 이런 여성심리가 인간적으로 좋은 특성임에도 여성들이 강점으로 느끼지 못하는 이유는 그것이 여성에게 불리한 방향으로 이용되어 단점이 되게 하는 가부장적 맥락 때문이라고 했다.

### 3) 낸시 초도로

낸시 초도로(Nancy Chodorow)는 성불평등의 가부장제 사회에서 어머니만 양육하는 비대칭적 가부장제 양육방식이 여성심리를 조건화한다고 했다(초도로, 2008).

(1) 출생부터 남아와 달리 동성인 어머니와 공생관계로 출발했기에 어머니와 분리되어 독립된 개체로 자아를 형성하는 과정이 쉽지 않아, 여성은 어머니와의 경계가 불분명한 '투과적 자아'를 형성하게 된다. 이것은 앞서 벤저민이 분석한 여성적 마조히즘의 원인과 연결되는 것이다.
(2) 출생 후 남아보다 오래 경험하는 전 오이디푸스기에는 현실원리가 결핍되어 있기에, 여성은 전 오이디푸스 자아의 심리기제인 '동일시의 작동'으로 타인과 쉽게 동일시해 공감을 잘할 수 있으며 주관성이 발달할 수 있다.
(3) 여아는 남아와는 달리 오이디푸스기에 성애의 대상은 어머니에서 아버지로 바뀌어도 정서의 대상은 여전히 어머니이기에 여성은 어머니와 여성에 대한 애착을 느끼고 정서의 대상과 성애의 대상이 공존하기에 '정서가 복잡'하다. 여성에 대한 애착으로 동성애를 하게 될 수도 있다.

### 4) 준 싱어

준 싱어(June Singer)가 말하는 여성심리 조건화의 요인은 생물학적 요인과 부모에 대한 경험과 사회가 할당하는 젠더역할이다(Singer, 1994).

여성에게는 아니무스(Animus)가 있다. 칼 융(Carl Jung)의 분석심리학에 입각한 정신분석을 하는 싱어는 여성과 남성에게는 의식적 심리를 보상하는 무의식이 있다고 하며 여성의 의식적 심리를 보상하는 무의식을 아니무스, 남성의 의식적 심리를 보상하는 무의식을 아니마(Anima)라고 부른 융의 이론틀 안에서 여성심리를 말한다. 싱어가 융과 다른 것은 분석심리학에 여성주의를 받아들여 해석한 것이다. 싱어에게 가장 중요한 것은 젠더의 내용이 시대와 사회에 따라 다르기에 여성의 의식적 심리도 그에 따라 달라지며, 따라서 본질적인 여성심리와 남성심리는 찾을 수 없다는 것이다. 그러나 여성심리와 남성심리는 언제나 어떤 차이는 있게 마련이고 그에 따라 무의식에도 차이가 있다는 것이다. 싱어는 융이 이론화시킨 여성심리와 아니무스의 내용은 융의 시대적 제한을 보여주는 것으로 그것을 분석심리학에서 본질적인 것으로 보아서는 안 된다고 한다. 스위스 여성은 1971년에 선거권을 가지게 되었고 융은 1961년에 사망했기에 융은 전통적인 여성의 성역할과 그에 따른 전통적 여성심리를 주로 목격했기 때문이다.

싱어는 시대적 변화가 심리를 형성하는 예를 자신의 임상경험에서 들고 있다. 여성이 꿈에 음경을 가진 자신의 몸을 보는 것을 고전적인 아니무스의 꿈이라고 하는데 내담자들의 반응이 시대에 따라 달랐다는 것이다. 2차 여성운동이 시작되어 여성들이 가부장제의 피해자였던 점이 크게 부각되던 1960년대의 여성들은 그 꿈에 크게 당황하거나 공포에 질렸다고 한다. 양성성의 이론이 등장한 1970년대의 여성들은 그 꿈이 남성적 특질도 가졌다는 의미고 그것은 유용한 것이어서 괜찮다는 반응을 보였다고 한다. 여성성을 긍정하게 된 시기인 1990년대의 여성들은 자신의 몸에 부가된 것을 즐거워했다고 한다.

싱어는 여성들이 자신의 의식과 무의식 모두를 자각해 통합된 정신을 가지게 되는 것을 중요하게 여긴다. 1960년대 제2차 여성운동 이후 여성들끼리 의식과 무의식의 심리를 깊게 드러내고 나눔에 따라 동성애도 발달했다는 것이다. 분석심리학에서 제시되어온 원형의 내용에 제한되지 않고 새로운 원형을 만들 길을 열어준 것이 싱어의 의미라 하겠다.

## 4 주체성을 위한 재조건화

내담자가 여성주의상담가를 찾아올 때는 환경의 변화와 함께 그 환경에 대응하는 자신의 심리 변화를 원하기 때문일 것이다. 원하는 심리적 변화는 비주체적, 소극적, 수동적, 자기억압적, 무력하고 위축된 심리에서 주체적, 적극적, 능동적, 자기표현적, 강하고 당당한 심리로의 변화일 가능성이 높다. 내가 내담자로부터 가장 많이 들은 말은 아마도 "당당해지고 싶다"일 것이다. 내담자가 원하는 심리적 변화를 조력하려면 현재의 심리를 이해해야 하는데, 어떻게 접근해서 현재의 심리를 이해하느냐에 따라 조력의 방향도 달라질 것이다. 여성주의상담가는 내담자의 심리가 무력하고 주체성이 취약할 때 그런 여성심리가 조건화의 결과라는 것을 기억하고, 조건화의 결을 섬세하게 찾아낼 때 여성의 심리변화를 도울 수 있을 것이다.

여성주의자들이 변화를 모색하는 여성들에게 제공하는 프로그램 중 하나가 '여성의 자아 찾기'였다. 이제 포스트모더니즘 여성주의자들만이 아니라 자아 초월 심리학자들 그리고 의식을 연구하는 심리학자들도 자아가 불변의 실체가 아니라 구성되는 구성물임에 동의한다. 그런데 자아에 대한 이해가 달라졌어도 달라지지 않는 것은 인간의 삶에 자아의 기능이 필요하다는 것이다. 모든 것이 순간순간 변하는 삶을 하나의 유기체로 살기 위해서는 그 순간에 기능하는 일회용 같은 최소한의 자아라도 필요한 것이다. 이제 그 이름은 '여성의 자아 만들기'라는 것이 더 적절하겠지만 그런 프로그램이 여전히 필요한 것이다.

핵심적인 이슈는 찾을 자아든, 만들 자아든, 그 내용이 자신을 중심에 놓은 것이냐, 타자를 중심에 놓은 것이냐이다. 여성들이 우울증에 덜 걸리게 하고 여성들이 더 당당해지려면 생각에서, 말에서, 행동에서 자신을 중심에 놓는 주체성이 필요한 것이다. 여성을 타자의 위치에 놓으려는 개인 남성의 시선을 거부하려면, 여성을 집단적으로 타자의 위치에 놓으려 하는 가부장제를 전복시키려면, 여성들의 주체적인 자아가 필요하다. 그렇기 때문에 여성주의상담의 목표는 여전히 여성의 주체성이 되는 것이다. 그리고 그것이 여성주의상담가가 여성심리를 공부해야 하는 이유가 된다.

**제3장**

# 여성주의상담과정 구조화 모델

이제 제1장과 제2장의 내용을 바탕으로 내가 2011년에 만든 여성주의상담의 상담과정을 구조화시킨 모델을 설명해보겠다. 이 과정 모델을 집 짓기에 비유하면 다음과 같다. 상담에서 핵심인 목표 결정과 목표 달성은 집을 집답게 하는 집의 바닥과 천장이고, 여성주의상담의 원리들은 그 집이 여성주의상담이라는 개성을 갖춘 집으로 서 있게 하는 기둥들이다. 여성주의상담의 기법들은 기둥들을 연결하며 기둥들이 튼튼하게 서 있게 해주는 벽들이다. 여성주의상담이라는 집이 서 있는 땅은 그 위에 사는 사람들의 젠더화된 삶에 거대한 영향을 미치는 위계적인 가부장제 질서, 그것을 전복시키려는 열망, 그리고 여성의 삶에 대한 애정이 섞여 있는 역동체이다(따라서 가부장제가 사라지면 그 존재 이유를 상실한 여성주의상담도 사라질 것이다). 그리고 이 집의 창문은 '성평등이 있는 성평화'를 향해 열려 있다.

여성주의상담자는 어떤 내담자를 만나도 내담자와의 협력하에 이런 집을 지으려는 의도와 능력을 가지고 있으며 동시에 집을 지을 수 있는 재료와 기술을 가진 사람으로 비유할 수 있다.

이 책의 핵심인 구조화 모델은 실제로 내담자를 만나 상담을 하는 상담과정에 여성주의상담의 원리와 기법이 녹아들게 하려는 의도에서 만들어진 것이다. 내가 19년간 상담자들에게 '여성주의상담'을 교육하고 지도하면서 — 기법보다는 철학과 가치관을 강조하는 여성주의상담이기에 — 상담과정에 섬세한 주의를 기울이지 않으면 상담자가 지키려는 원리와 실제 상담과정이 따로 갈 수 있다는 것을 발견했기 때문이다.

구조화 모델은 내담자를 만나 상담을 시작해서 종결할 때까지의 과정을 8단계로 나누고 있다. 1단계는 여성주의상담자의 자기점검, 2단계는 여성주의상담 소개와 내담자의 젠더 경험 탐색, 3단계는 목표 결정, 4단계는 상담자 권력 점검, 5단계는 사례개념화, 6단계는 상담계획과 실행, 7단계는 목표 달성과 권력 강화 점검, 8단계는 종결과 내담자의 피드백이다.

8단계 각각은 여성주의상담의 다섯 가지 원리("개인은 사회적 위치를 가진다", "개인적인 것은 정치적인 것이다", "상담자와 내담자는 평등하다", "내담자의 권력을 강화한다", "여성/소수자의 경험과 다양성을 존중한다")를 반영하고 있다. 각 단계가 여성주의상담의 원리를 반영한 점은 다음과 같다. 1단계에서는 평등을 위해 상담자의 전문성을 점검한다는 점(원리 3), 2단계에서는 정보의 평등을 위해 여성주의상담을 소개하고 여성으로서의 경험에 주의를 기울인다는 점(원리 3과 5)이다. 3단계에서는 목표 결정, 6단계에서는 상담계획 결정을 하는 데 내담자를 자기문제의 전문가로 인정한다는 점(원리 3)이다. 5단계에서는 사례개념화를 하며 개인적 조건과 사회적 조건을 동시에 탐색해 문제를 개인화시키지 않는다는 점과 내담자를 전문가로 인정한다는 점(원리 1, 2와 3)이다. 4단계에서는 상담자 권력을 점검해 상담자와 내담자의 평등을 추구한다는 점(원리 3)이다. 7단계에서는 내담자의 권력 강화를 확인한다는 점(원리 4)이고, 8단계에서는 내담자가 평등한 위치에서 상담자에게 피드백을 하게 한다는 점(원리 3)이다.

제3장에서는 구조화 모델을 이해할 수 있도록 한 단계씩 그 의미를 설

명했고, 각 단계를 실습해 체화할 수 있도록 활동지를 제시했다.

## 1 1단계: 여성주의상담자의 자기점검

### 1) 상담 전 자신을 점검한다.

[원리 3: 상담자와 내담자는 평등하다]

**상담자의 역할**: 여성주의상담자로서 자신을 점검한다. 경청, 공감, 명료화, 요약, 질문, 직면, 자기공개 등의 기본적인 상담기술을 맥락에 따라 잘 사용할 수 있는지를 점검한다.

**여성주의상담의 근거**: 내담자는 자신의 문제 전문가이고, 상담자는 상담의 전문가이다. 전문가로서 자신의 전문성을 확인하는 것이다.

**내담자의 의미**: 준비된 상담자를 만날 수 있다.

[여성주의상담자의 자기점검 실습 - 활동지 1]

## 2 2단계: 여성주의상담 소개와 내담자의 젠더 경험 탐색

### 1) 여성주의상담과 여성주의상담자를 소개한다.

[원리 3: 상담자와 내담자는 평등하다]

**상담자의 역할**: 내담자와 유대관계를 형성하면서 상담자의 이론적 입장 – 여성주의상담 – 과 여성주의상담자 자신을 내담자에게 소개한다. 내담자의 눈높이에 맞춰 적절하게 소개한다.

## 활동지 1 여성주의상담자의 자기점검(원리 3)

1) 상담자는 여성주의자 정체성(Downing and Roush, 1985) 단계 중 어떤 단계에 있나?

1. 여성주의를 모름/가부장제를 소극적으로 수용함
2. 여성주의에 눈뜸
3. 여성주의를 가슴에 새겨둠/여성주의에 빠져 있음
4. 여성주의를 다른 가치관/윤리와 통합

2) 상담자가 여성심리학 도서 중 읽은 것은?

3) 상담자는 여성주의상담자 권력 강화지표 스케일(1~10 척도)에서 어디에 해당하나?

| | |
|---|---|
| ① 여성주의상담자로서의 자신감 | 1 2 3 4 5 6 7 8 9 10 |
| ② 메타 관점에서 내담자의 맥락과 상담과정의 맥락을 보는 능력 | 1 2 3 4 5 6 7 8 9 10 |
| ③ 슈퍼바이저와의 평등한 관계 경험 | 1 2 3 4 5 6 7 8 9 10 |
| ④ 내담자와의 평등한 관계 능력 | 1 2 3 4 5 6 7 8 9 10 |
| ⑤ 목표-계획-성과의 완결 능력 | 1 2 3 4 5 6 7 8 9 10 |
| ⑥ 여성 및 소수자의 삶에 대한 이해 능력 | 1 2 3 4 5 6 7 8 9 10 |
| ⑦ 여성 및 소수자와의 공감 능력 | 1 2 3 4 5 6 7 8 9 10 |
| ⑧ 여성주의상담자로서의 개입력: 예) 여성주의 관점으로 보는 능력 | 1 2 3 4 5 6 7 8 9 10 |
| ⑨ 여성주의상담 기법 사용에 대한 편안함 | 1 2 3 4 5 6 7 8 9 10 |
| ⑩ 사회운동과 제도적 변화에의 참여 | 1 2 3 4 5 6 7 8 9 10 |
| ⑪ 자기양육 능력 | 1 2 3 4 5 6 7 8 9 10 |

**여성주의상담의 근거**: 내담자가 소비자로서 알 권리를 가진 것을 존중하는 것이다.

**내담자의 의미**: 상담자를 선택할 수 있다.

내담자를 처음 대면할 때 온화한 표정, 내담자를 존중하는 부드러운 시선, 내담자를 수용하고 담아주는 에너지, 내담자를 향한 바른 자세, 친절한 어투, 긍정적 단어 선택 등을 실천한다. 여성주의상담자는 내담자의 문제란 내담자와 맥락의 상호작용에서 나왔다는 전제를 가지기에, 내담자가 보이는 증상은 고통을 느끼게 하는 환경적 조건에 대한 대응 전략이라는 것을 기억하며 증상을 개인화하지 않는 태도를 유지한다.

상담에서는 주로 내담자가 자신을 드러내게 된다. 평등한 관계를 위해 상담의 시작 부분에서 내담자에게 상담자 자신을 드러내는 것이다. 상담자로서의 정체성, 접근 그리고 상담과 관련된 가치관 등을 드러내어 알리고, 필요하다면 내담자가 상담자를 선택할 수 있게 한다. 예를 들어 첫 상담을 무료로 하고 집에 가서 상담을 계속할지 생각해보고 결정하게 해 선택권을 존중할 수 있다.

[여성주의상담과 여성주의상담자 소개 실습]

### 2) 여성/소수자로서의 젠더화된 경험을 탐색해본다.

[원리 5: 여성/소수자의 경험과 다양성을 존중한다]

**상담자의 역할**: 내담자가 자각하지 못하고 있는 젠더화된 경험의 자각을 촉진하기 위해 여성/소수자로서 살아온 경험에 대해 질문한다. 내담자가 젠더화된 자신의 삶을 성찰하기 어려워한다면 동성 부모의 삶에 대한 질문이나 동성 부모의 삶과 자신의 삶을 연결시키는

질문을 할 수 있다.

**여성주의상담의 근거**: 인간은 여성이나 남성으로서 또는 충분히 여성이나 남성이 되지 못한 사람으로서 젠더화된 경험을 한다. 가부장제 사회에 살아갈 때 인생의 모든 영역에서 성역할/젠더역할은 영향을 미치지만, 출생부터 존재했기에 자각하지 못하며 당연한 것으로 여길 수 있다. 자각하지 못해 무의식에 있는 젠더체계의 영향을 의식화시켜 내담자가 자신을 이해하게 한다.

**내담자의 의미**: 자신의 경험을 새로운 관점에서 이해한다.

모든 소수집단 중에서 대표적인 소수집단이 여성이다. 소수집단으로 살아온 경험을 탐색하고, 그 경험을 내담자가 새로운 관점 – 여성주의 – 에서 이해하게 한다. 내담자가 여성 이외의 다른 소수집단에 속한다면 그 경험도 탐색하고, 그 경험을 새로운 관점에서 이해하게 한다. 소수자로 살면서 사회의 주류 가치관과 다른 가치관이나 관점, 시각을 가지게 되었다면 그것을 존중하고 수용한다.

[젠더화된 경험 관련 질문들 실습 - 활동지 2]

## 3 3단계: 목표 결정

### 1) 상담목표를 결정한다.

[원리 3: 상담자와 내담자는 평등하다]

**상담자의 역할**: 내담자가 자신의 문제를 어떻게 변화시키고 싶은지, 상담에서 무엇을 달성하고 싶은지 논의하고, 함께 상담목표를 결

## 활동지 2 젠더화된 경험 관련 질문들(원리 5)

■ 여성/남성으로서의 경험은?

■ 여성이라면, 어머니/딸의 관계는?

■ 남성이라면, 아버지/아들의 관계는?

1. 여성(남성) 하면 떠오르는 감각적 이미지는?

2. 여성(남성)은 ______________이다/하다.

3. 여성(남성)으로 느끼면서 하는 대표적인 행위는?

4, 여성(남성)으로서의 나의 삶은?

5. 여성들과 맺어온 관계들의 그래프를 그려보면?

정한다. 목표는 장기목표와 단기목표로 나누는데, 장기목표는 내담자의 욕구를 만족시켜 상담을 종결하게 하는 큰 목표이고 단기목표는 장기목표를 달성하게 하는 작고 구체적이고 측정 가능한 목표들이다. 이 단계에서는 장기목표를 결정한다. 또한 회기마다 함께 회기목표를 결정한다.

**여성주의상담의 근거**: 여성주의상담은 내담자를 자신의 문제의 전문가로 존중하기에 모든 상담목표를 내담자의 욕구를 중심으로 내담자와 함께 결정한다.

**내담자의 의미**: 자신의 상담과정을 통제한다.

### 2) 결정한 상담목표를 기록한다.

[원리 3: 상담자와 내담자는 평등하다/ 원리 4: 내담자의 권력을 강화한다]

**상담자의 역할**: 공동으로 결정한 상담목표를 말로 확인하고, 상담목표 기록지에 내담자로 하여금 글로 기록하게 한다.

**여성주의상담의 근거**: 여성주의상담은 내담자를 주체로 존중하기에 내담자가 기록하면서 자신이 목표를 결정한 주체임을 실감해 상담에 주체적으로 임하게 한다.

**내담자의 의미**: 자신의 상담 기록에 참여한다.

[상담목표 기록지 실습 - 활동지 3]

## 활동지 3 상담목표 기록지(원리 3, 4)

| |
|---|
| 내담자: |
| 상담자: |
| 상담목표/날짜<br>장기목표: |
| 변경된 장기목표/날짜 |
| 새 장기목표/날짜 |
| 상담목표 달성 여부/날짜<br>첫 장기목표<br>변경된 장기목표<br>새 장기목표 |
| 내담자의 10가지 권력 강화 여부 확인(자료: Worell and Remer, 2004)<br>① 개선된 자아존중감 1 2 3 4 5 6 7 8 9 10<br>② 고통의 감소와 편안함의 증가 1 2 3 4 5 6 7 8 9 10<br>③ 성역할과 문화적 역할 자각 1 2 3 4 5 6 7 8 9 10<br>④ 개선된 개인적 통제력과 자기효능감 1 2 3 4 5 6 7 8 9 10<br>⑤ 자기양육적 행위의 증가, 자기학대적 행위의 폐기 1 2 3 4 5 6 7 8 9 10<br>⑥ 개선된 문제 해결기술 1 2 3 4 5 6 7 8 9 10<br>⑦ 자기주장기술 사용 증가 1 2 3 4 5 6 7 8 9 10<br>⑧ 사회적, 경제적 지지에의 접근 증가 1 2 3 4 5 6 7 8 9 10<br>⑨ 젠더와 문화적 유연성 1 2 3 4 5 6 7 8 9 10<br>⑩ 사회운동과 제도적 변화에의 참여 1 2 3 4 5 6 7 8 9 10 |

## 활동지 4 상담자를 위한 권력의 바퀴(원리 3)

1) 상담자로서 내담자와의 관계에서 권력의 위치에 있게 하는 변인은?

권력의 위치

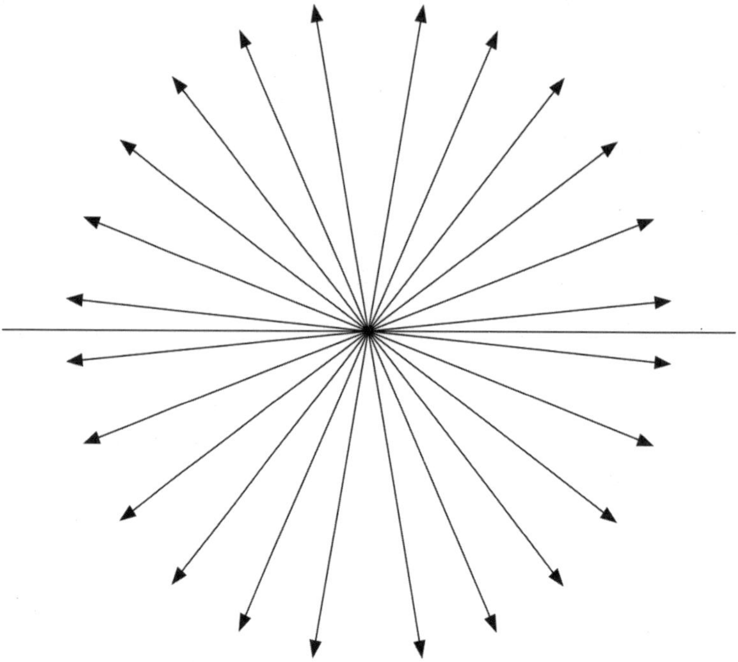

무력의 위치

2) 상담자로서 내담자와의 관계에서 무력의 위치에 있게 하는 변인은?

3) 그 위치가 상담에 끼치는 영향은?

## 4　4단계: 상담자 권력 점검

### 1) 상담자를 위한 권력의 바퀴를 그린다.

[원리 3: 상담자와 내담자는 평등하다]

**상담자의 역할**: 상담자가 내담자와의 관계에서 어떤 위치와 권력을 가지고 있는지 탐색한다. 그리고 그것이 상담에 어떤 영향을 끼치는지를 탐색한다.

**여성주의상담의 근거**: 여성주의상담은 모든 인간관계에 권력이 작동한다고 전제한다. 상담자와 내담자의 관계도 마찬가지이다. 따라서 평등을 지향하려면 상담자가 가진 권력이 파악되고 점검되어야 한다.

**내담자의 의미**: 상담자와 내담자 간 권력의 차이를 자각한 상담자와 상담을 한다.

[상담자를 위한 권력의 바퀴 실습 - 활동지 4]

## 5　5단계: 사례개념화

상담계획을 세우기 위해 내담자의 문제를 심층적으로 이해하고 내담자가 가진 강점을 파악해 사례개념화를 한다.

### 1) 맥락분석을 한다.

[원리 1: 개인은 사회적 위치를 가진다/ 원리 2: 개인적인 것은 정치적인 것이다]

**상담자의 역할**: 맥락분석을 하여 문제를 맥락화하고 외적 조건과 연결시킨다.

**여성주의상담의 근거**: 여성주의상담의 인성론은 자아는 내적 조건과 외적 조건의 상호작용 속에서 구성된다는 것이다. 내담자를 이해하기 위해 내담자의 선천적 경향성이 내담자가 태어난 구체적인 맥락에서 어떻게 그 맥락과 상호작용하며 살았는지, 그리고 그 상호작용에 젠더 등의 외적 요인이 어떻게 영향을 미쳤는지를 파악한다.

**내담자의 의미**: 자신의 문제를 맥락화하며, 문제를 혼자 만든 것이 아니라는 것을 발견한다.

내담자가 상담을 하는 이유는 어떤 변화를 원하기 때문이다. 변화를 가져오려면, 변화를 원하게 한 문제의 원인을 탐색해야 한다. 문제의 원인이 현재의 내적 조건(자아)에서 비롯된 것인지 현재의 외적 조건(맥락)에서 비롯된 것인지를 이해해야 하는 것이다. 원인이 현재의 내적 조건에서 비롯된 것이라면, 그 내적 조건을 발생시킨 과거의 외적 원인(과거의 맥락)을 찾아 내담자의 자아 구성에 대한 책임이 내담자뿐만 아니라 맥락에도 있음을 발견해야 한다. 내담자의 맥락도 원인이고 맥락에 대한 내담자의 반응도 문제의 원인이기 때문이다. 맥락에도 여러 층이 있으므로 미시조건, 거시조건, 인류조건, 지구생태조건 등을 탐색한다.

[맥락분석 실습 - 활동지 5]

## 활동지 5 맥락분석(원리 1, 2)

문제가 발생한 내담자의 맥락을 탐색한다.

| | |
|---|---|
| 1) 가족, 교사, 친구, 친지가 그 문제에 끼친 영향은 무엇인가? (미시조건) | |
| 2) 그 문제에 영향을 미친 정치적, 경제적, 사회적, 문화적 조건들은 무엇인가? (거시조건 — 전쟁, 독재, 폭동, 대량실직, 파업, 절망범죄, 가치관, 이념 갈등, 제도화된 종교갈등, 신자유주의, FTA, SNS, 에이즈, 조류인플루엔자 등) | |
| 3) 종교생활이나 영적 수행을 하는가? 그 문제에 영향이 있었나? (미시조건 — 교리, 수행법, 영적 경험 등) | |
| 4) 그 문제에 끼친 인류의 영향이 있는가? (인류조건 — 긴 양육기간, 짝짓기 등) | |
| 5) 그 문제에 영향을 끼친 지구의 조건이 있는가? (지구생태조건 — 기후, 온난화, 지진, 쓰나미 등) | |

## 활동지 6 지지의 지도(원리 2)

내담자의 문제 해결 과정을 지지해줄 지지자와 지지 지원을 찾아 분석한다.

| 나를 중심으로 지지자와 지지 자원 그리기 |
| --- |
| 지지자와 지지 자원에 대한 나의 태도 |

### 2) 지지자와 지지 자원을 분석한다.

[원리 2: 개인적인 것은 정치적인 것이다]

**상담자의 역할**: 내담자의 문제 해결을 도와줄 지지자와 지지 자원이 있는가, 지지자와 지지 자원을 새롭게 만들 수 있는가 탐색한다.

**여성주의상담의 근거**: 가부장제 사회는 여성을 고립시킴으로써 무력하게 만들어, 가부장제 질서 속에서 순응하며 살게 했다. 여성이 남편 가족의 일원이 되기 위해 시집에 가서 사는 일이 대표적인 고립이었고, 친정과 가까이 살기도 하는 요즘에는 신체적으로 고립되지 않는다 해도 성역할/젠더역할을 강요하는 가치관으로 인해 심리적으로 고립될 수 있다. 이러한 가부장제 질서 밖으로 나오는 전복의 경험을 혼자서 하기는 어렵다. 변화를 도와줄 지지자를 찾아야 한다.

**내담자의 의미**: 문제 해결을 도와줄 지지자와 지지 자원을 발견한다.

내담자의 문제 해결 과정을 지지해줄 지지자와 지지 지원을 찾아 분석할 때, 피해 극복을 위해 지지를 받는다는 것과 피해를 특권화하며 지지를 착취한다는 것을 구별하게 한다. 내담자와 지지자의 관계도 근본적으로 평등한 것이다. 지지자를 대하는 내담자의 태도도 탐색한다.

[지지의 지도 그리기 실습 - 활동지 6]

### 3) 성역할/젠더역할 분석을 한다.

[원리 2: 개인적인 것은 정치적인 것이다]

**상담자의 역할**: 문제와 관련된 부분의 문제와 관련된 성역할/젠더역할 분석을 한다.

**여성주의상담의 근거**: 가부장제 사회에서 젠더화된 삶을 산다는 것은 누구나 성역할/젠더역할을 요구받고 그 성역할/젠더역할을 어느 정도 내면화하고 산다는 것을 의미한다. 따라서 내담자의 문제를 해결하기 위해서는 문제에 영향을 끼친 내면화된 성역할/젠더역할을 이해해야 한다.

**내담자의 의미**: 문제와 관련된 자신의 성역할/젠더역할의 영향을 알게 된다.

일반적인 기법으로서의 성역할/젠더역할 분석과 달리 여기서는 내담자가 해결하고자 하는 문제와 관련된 성역할/젠더역할의 영향만을 분석한다.

[성역할/젠더역할 분석 실습 - 활동지 7]

### 4) 권력의 바퀴를 그린다.

[원리 1: 개인은 사회적 위치를 가진다]

**상담자의 역할**: 권력의 바퀴에서 문제와 관련된 내담자 권력의 위치와 무력의 위치가 무엇인지를 탐색한다.

**여성주의상담의 근거**: 내담자의 심리는 내면에만 존재하는 것이 아니라 내담자와 내담자가 처한 사회적 위치와의 사회적 관계 속에서

## 활동지 7 성역할/젠더역할 분석(원리 2)

문제와 관련된 내담자의 성역할/젠더역할을 탐색한다.

| |
|---|
| 1) 문제와 관련해 여성이기에 해야 하는 역할은?<br><br>① 생물학적으로 여성이기에 젠더체계로 인해 해야 하는 역할은(1차적 성역할/젠더역할)?<br><br>② 관계 속에서 약자인 여성이기에 해야 하는 역할은(2차적 성역할/젠더역할)? |
| 2) 그 성역할/젠더역할을 하면서 느낀 것은? |
| 3) 그 성역할/젠더역할 수행으로 인해 발달된 심리는? |

## 활동지 8 권력의 바퀴(원리 1)

문제와 관련된 내담자의 사회적 위치를 분석한다.

1) 문제와 관련해 권력(물질적, 심리적, 사회적, 영적 권력)을 갖게 하는 사회적 위치는?

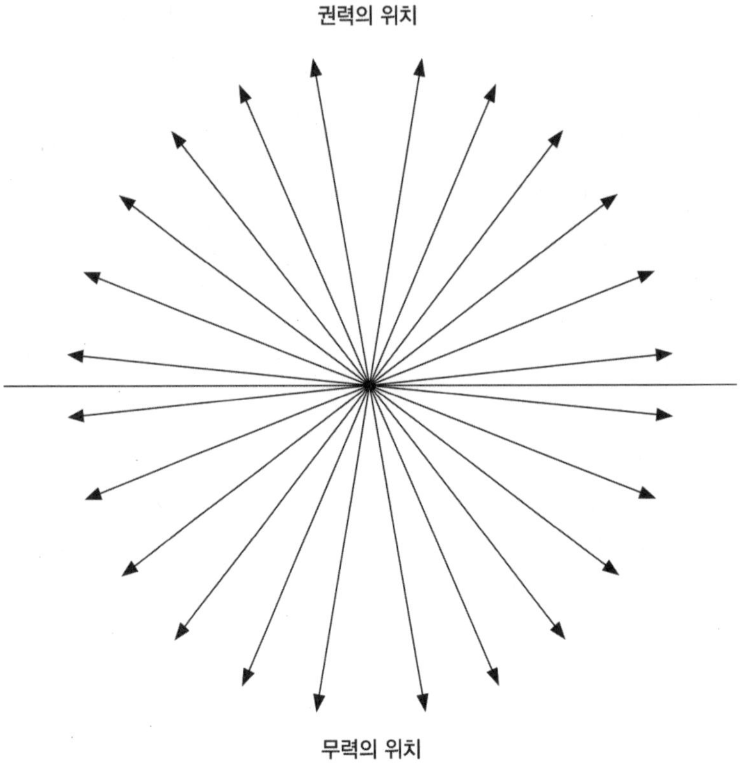


2) 문제와 관련해 무력(물질적, 심리적, 사회적, 영적 권력의 결핍)해지게 하는 사회적 위치는?

창출된다. 그 사회적 위치와 사회적 관계가 달라지면 심리도 달라지는 것이다. 따라서 그 위치를 자각하는 것이 필요하다.

**내담자의 의미**: 문제와 관련된 자신의 권력의 위치를 알게 된다.

일반적인 기법으로서의 권력의 바퀴와는 달리 여기서는 내담자가 해결하고자 하는 문제와 관련된 권력의 위치와 무력의 위치가 무엇인지만을 탐색한다.

[권력의 바퀴 실습 - 활동지 8]

### 5) 권력분석을 한다.

[원리 2: 개인적인 것은 정치적인 것이다]

**상담자의 역할**: 권력의 바퀴를 통해 알아낸 내담자의 위치로 권력분석을 해 내담자가 현재 어떤 권력을 가지고 있으며, 목표를 실현하려면 어떤 권력이 필요한지를 탐색한다.

**여성주의상담의 근거**: 가부장제 사회에서 여성 또는 소수자로 산다는 것은 적은 권력을 가지고 산다는 것을 의미한다. 권력은 "내가 원하는 변화를 가져오는 능력의 소유"이다. 내담자가 상담을 필요로 한다는 것은 현재 자신이 원하는 변화를 가져오는 능력을 적게 소유하고 있다는 것이다. 또는 소유한 권력도 자신에게 유용하게 사용하지 못하고 있다는 것이다. 상담목표 달성을 위해서는 어떤 권력을 증가시켜야 하고 어떤 권력을 어떤 방식으로 사용해야 하는지를 알아야 한다.

**내담자의 의미**: 문제와 관련된 자신의 권력을 알게 된다.

## 활동지 9 권력분석(원리 2)

내담자의 위치에서 나오는 권력과 권력 사용 방식을 분석한다.

| | |
|---|---|
| 1) 문제와 관련된 권력의 위치와 그런 권력으로 경험한 것은? | 4) 문제와 관련된 무력의 위치와 그런 무력으로 경험한 것은? |
| 2) 그 권력으로 인해 발달된 심리는? | 5) 그 무력으로 인해 발달된 심리는? |
| 3) 나의 권력으로 손해를 보는 대상은? | 6) 나의 무력으로 이득을 보는 대상은? |
| 7) 권력을 사용하는 방식은?(직접 대 간접/ 구체적 대 개인적/ 유능 대 무능) | |

일반적인 기법으로서의 권력분석과는 달리 여기서는 내담자가 해결하고자 하는 문제와 관련된 권력만을 분석한다. 내담자가 문제 해결을 위해 권력을 추구하는 과정에서 타인을 억압하거나 차별하는 일이 없도록 윈윈(win-win)의 권력 추구를 조력한다.

[권력분석 실습 - 활동지 9]

### 6) 내담자의 강점을 파악한다.

[원리 4: 내담자의 권력을 강화한다]

**상담자의 역할**: 문제 해결에 도움이 되는 내담자의 강점을 파악한다.

**여성주의상담의 근거**: 여성주의상담은 내담자를 자신의 문제의 전문가로 존중하며 내담자의 권력을 강화하는 것을 지향한다. 권력 강화의 디딤돌이 되는 강점을 파악해야 한다.

**내담자의 의미**: 문제 해결에 도움이 되는 자신의 강점을 알게 된다.

### 7) 사례개념화를 하고 내담자와 나눈다.

[원리 3: 상담자와 내담자는 평등하다]

**상담자의 역할**: 맥락분석, 관계분석, 지지의 지도, 성역할분석, 권력의 바퀴, 권력분석과 강점파악을 통해 내담자를 탐색한 결과로 사례개념화를 한다. 이를 조건화의 모델에 그려 내담자로부터 그 정확도를 검증받는다.

**여성주의상담의 근거**: 여성주의상담은 내담자를 자신의 문제에 대한 전문가로 존중한다. 내담자에게는 상담자가 자신에 대해 이해한 것을 확인할 권리가 있으므로 상담자의 이해를 내담자에게 개방

## 활동지 10 상담계획 전 사례개념화(원리 3)

상담목표

상담계획

강점

한다.

**내담자의 의미**: 상담자가 자신에 대해 이해한 것을 확인한다.

[상담계획 전 사례개념화 실습 - 활동지 10]

## 6 6단계: 상담계획과 실행

### 1) 단기 목표들을 결정하고 기록한다.

**상담자의 역할**: 단기목표는 장기목표를 달성하게 하는 작고 구체적이고 측정 가능한 목표들인데, 사례개념화로 내담자를 더 깊게 이해한 후 내담자에게 맞는 단기목표를 공동으로 결정한다.

**여성주의상담의 근거**: 가능한 한 내담자에게 맞는 현실적인 목표를 결정한다.

**내담자의 의미**: 상담과정에서 통제력을 가진다.

### 2) 상담계획을 세운다.

[원리 3: 상담자와 내담자는 평등하다/ 원리 4: 내담자의 역량을 강화한다]

**상담자의 역할**: 상담목표 달성을 위해 내담자를 역량 강화하는 계획을 세운다. 내담자의 필요에 따라, 상담자의 역량[여성주의 정신분석, 인지행동, 게슈탈트(Gestalt)치료, 인간중심치료, 아들러치료, 사이코드라마, 이야기치료, 미술치료, 동작치료, 음악치료, 명상치료, 가족치료 등]에 따라 기법을 선택하고 전략을 짜서 상담계획을 세우고 내담자의 동의를 받아 진행한다.

## 활동지 11 역량 강화의 계획(원리 3, 4)

내담자의 필요에 따라, 상담자의 역량에 따라 한다.

| |
|---|
| (1) 상담목표를 달성하기 위한 상담자의 상담계획은?<br><br>장기목표:<br><br><br>단기목표 1에 대한 계획:<br><br><br>단기목표 2에 대한 계획:<br><br><br>단기목표 3에 대한 계획: |
| (2) 상담자의 상담계획에 대한 내담자의 피드백은?<br><br>단기목표 1에 대한 계획:<br><br><br>단기목표 2에 대한 계획:<br><br><br>단기목표 3에 대한 계획: |

**여성주의상담의 근거**: 여성주의상담은 내담자를 자신의 문제의 전문가로 존중한다. 내담자에게는 상담자가 세운 상담계획이 자신에게 맞는 것인지를 판단할 능력이 있고, 자신이 원하는 상담계획을 선택할 권리가 있다. 상담자는 내담자의 그러한 전문성을 존중한다.

**내담자의 의미**: 상담과정에서 통제력을 갖고, 자신의 선택이 존중받는 경험을 한다.

[역량 강화의 계획 실습 - 활동지 11]

### 3) 상담계획을 실행한다.

[원리 4: 내담자의 권력을 강화한다]

**상담자의 역할**: 계획대로 실행한다. 내담자의 반응을 관찰하며 계획이 진행되는 흐름을 민감하게 파악하며 내담자와 호흡을 맞추어 2인무를 추듯이 목표가 달성될 때까지 상담계획을 실천한다.

**여성주의상담의 근거**: 여성주의상담은 내담자의 권력 강화를 지향한다. 내담자가 권력을 강화해 불평등한 대우나 차별이 없는 평등한삶을 살 수 있도록 조력하고, 내담자가 강화된 권력으로 사회를 더욱 평등한 사회로 변화시킬 수 있게 의식의 변화를 조력한다.

**내담자의 의미**: 자신을 위한 노력을 한다. 자기애와 자기양육을 실천한다.

## 7 7단계: 목표 달성과 권력 강화

### 1) 목표 달성을 확인한다.

[원리 4: 내담자의 권력을 강화한다]

**상담자의 역할**: 권력 강화된 내담자가 새로 소유하게 된 자신의 능력으로 원하는 변화를 이루어 상담 초기에 결정한 목표를 달성해 더 이상 상담자의 조력 없이 내담자가 자신이 원하는 것을 이루어갈 수 있음을 확인한다.

**여성주의상담의 근거**: 여성주의상담의 대(大)목표는 기존질서에의 적응이 아니라 불평등한 기존질서의 변화이다. 기존질서를 미시적으로나 거시적으로 전복시키려면, 내담자가 상담받기 전보다 권력이 강화되어야 한다. 목표를 정하고 계획을 세우는 것만으로는 충분하지 않다. 그것을 달성할 때만 내담자의 권력이 강화되기 때문이다. 따라서 목표를 달성해 상담성과를 거두는 것은 여성주의상담과정에서 필수적인 부분이다.

**내담자의 의미**: 자신을 위한 노력의 결과를 얻는다.

[목표 달성 확인 실습 - 활동지 3]

### 2) 내담자의 역량 강화를 확인한다.

[원리 4: 내담자의 권력을 강화한다]

**상담자의 역할**: 워렐과 리머(2004)가 제시한 권력 강화의 내용 10가지를 점검한다.

**여성주의상담의 근거**: 상담의 성과를 확인하는 방법에는 여러 가지가

있다. 심리검사를 사용할 수도 있고, 자기보고를 받을 수도 있다. 여성주의상담에서 필수적으로 여기는 확인방법은 가부장제 사회에 사는 여성들의 권력이 약화되는 요소들을 연구한 여성주의 심리학을 바탕으로 만들어진 체크리스트이다. 여성의 권력 강화에서 필수적인 요소들을 제시한 여성주의상담가의 체크리스트를 통해 상담의 성과를 확인한다.

**내담자의 의미**: 상담을 통해 어떤 권력이 강화되었는지를 여성주의 관점에서 제시된 10가지 요소들을 통해 확인한다.

① 개선된 자아존중감

② 고통의 감소와 편안함의 증가

③ 성역할과 문화적 역할 자각

④ 개선된 개인적 통제력과 자기효능감

⑤ 자기양육적 행위의 증가, 자기학대적 행위의 폐기

⑥ 개선된 문제 해결기술

⑦ 자기주장기술 사용 증가

⑧ 사회적, 경제적 지지에의 접근 증가

⑨ 젠더와 문화적 유연성

⑩ 사회운동과 제도적 변화에의 참여

[권력 강화 확인 실습 - 활동지 3]

### 3) 권력 강화된 모습을 조건화의 모델에 그린다.

[원리 3: 상담자와 내담자는 평등하다]

**상담자의 역할**: 상담으로 권력 강화되고 변화된 내담자의 모습을 조건화의 모델에 그리고, 내담자로부터 검증을 받는다.

## 활동지 12 상담계획 실천 후 사례개념화(원리 3)

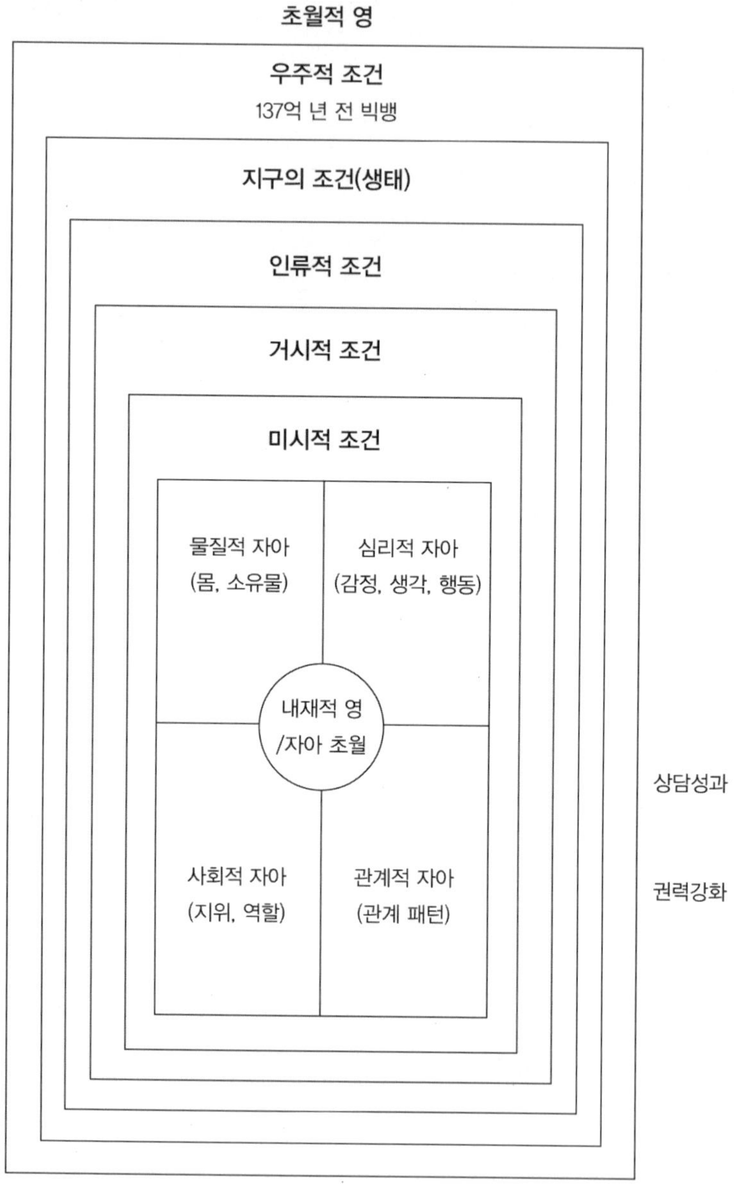

**여성주의상담의 근거**: 여성주의상담은 내담자를 자신의 문제의 전문가로 존중한다. 내담자에게는 상담자가 자신의 변화에 대해 이해한 것을 확인할 권리가 있다.

**내담자의 의미**: 자신의 변화에 대해 의미를 구성할 권리를 인정받는다.

[상담계획 실천 후 사례개념화 - 활동지 12]

## 8 8단계: 종결과 내담자의 피드백

### 1) 종결한다.

**상담자의 역할**: 최초의 목표가 달성되고, 내담자에게 새 목표가 없으면 종결한다.

**여성주의상담의 근거**: 여성주의상담은 내담자의 주체성을 중심으로 결정한다. 상담자의 판단으로는 새 목표를 정하는 것이 바람직하다 하더라도, 내담자가 주체적으로 종결하기를 원한다면 종결한다.

**내담자의 의미**: 상담은 내담자 삶의 일부이다. 자신의 삶의 과정에 대한 결정권을 가진다.

### 2) 내담자의 피드백을 받는다.

[원리 3: 상담자와 내담자는 평등하다]

**상담자의 역할**: 종결시 여성주의상담과 여성주의상담자에 대한 피드백을 내담자로부터 받는다.

**여성주의상담의 근거**: 여성주의상담은 평등을 지향한다. 상담과정에

## 활동지 13 내담자로부터의 피드백(원리 3)

| 1) 여성주의상담에 대한 피드백 |
|---|
| 2) 여성주의상담자에 대한 피드백 |
| 3) 내담자의 피드백에 대한 여성주의상담자의 반응 |

서는 상담자가 내담자에게 피드백하기는 쉽지만, 내담자가 상담자에 대해 피드백하기는 어렵다. 상담자와 내담자 사이에 필요한 불평등이 있는 것이다. 그렇기 때문에 내담자가 평등한 위치에서 피드백을 할 수 있는 종결 시에라도 내담자에게 피드백을 할 기회를 주어 상담자와 내담자 모두 평등의 경험을 하는 것이다. 내담자는 피드백하는 경험을 하고, 상담자는 겸허하게 피드백을 받아 자기 성찰을 하는 경험을 하는 것이다.

**내담자의 의미**: 내담자는 삶에서 일시적인 역할이지 영구적인 정체성이 아니다. 종결 시에는 자신의 문제를 드러내고 피드백을 받는 '내담자'라는 역할에서 벗어나야 한다. 내담자라는 역할에서 벗어나는 장치의 하나로 상담자에게 피드백을 해 새로운 평등을 경험한다.

[내담자로부터의 피드백 실습 - 활동지 13]

1단계부터 8단계까지 활동지로 실습해 상담과정의 구조를 체화하는 것이 중요하다. 체화한 후 실제 상담과정에서는 내담자에게 맞추어 필요한 단계를 자유롭게 선택해 사용하면 된다. 단 목표 결정, 상담계획과 실행, 목표 달성과 권력 강화 점검이라는 세 단계는 상담과정의 핵심이니 어떤 상담에서도 빠뜨려서는 안 된다. 구조화된 상담과정을 진행하며 내담자와 평등한 관계를 하기 위해 노력할 때 충실한 여성주의상담이 될 것이다.

제4장

# 여성주의 집단상담: 여성의 삶 그리기

'여성의 삶 그리기'라는 집단상담은 내가 2007년에 만든 것인데, 여성주의 집단상담의 한 예로 제시해보고자 한다. 여성주의 집단상담이란 여성들에게는 스스로 자신의 문제를 발견하고 해결할 힘이 있다는 것을 전제하고 진행하는 집단상담이다. 또한 여성주의 집단상담이란 여성주의 상담의 원리들이 녹아들어 있는 권력 강화 집단상담이다. 여성주의상담의 원리 중 내담자 이해의 원리인 "개인적인 것은 정치적인 것이다"에 따라 내담자의 내면을 깊게 입체적으로 이해하게 하며, 상담관계의 원리인 "상담자와 내담자는 평등하다"에 따라 내담자를 자신의 문제에 대한 전문가로 인정하며, 상담성과의 원리인 "내담자의 권력을 강화한다"에 따라 내담자의 권력 강화를 조력하는 집단상담인 것이다.

### ❖ 집단상담목표

- 과거를 돌아보고 자신의 삶에서 패턴 발견하기
- 현재에서 성장의 걸림돌 발견하기
- 권력을 강화해 걸림돌 뚫고 나가 성장하기
- 미래를 위해 강화된 권력을 표현해 더 강화시키기

## ❖ 집단상담 내용

■ 단계

〈1단계〉 집단상담을 구조화하는 단계.

〈2단계〉 약식의 자서전을 쓰고 자신의 과거를 되돌아보는 단계.

〈3단계〉 현재의 자기 이미지를 꽃이나 나무로 그리고, 각자 그 그림을 통해 작업하고 싶은 문제를 찾아 집단과 함께 다루는 단계.

〈4단계〉 집단원 모두의 작업이 끝난 후, 각자 원래의 그림을 수정하고 미래의 자신에게 주는 글(시, 편지, 구호 등)을 쓰는 단계.

〈5단계〉 집단 전체 과정에 대한 소감을 나누고 마무리하는 단계.

■ 진행: 한 회기는 두 시간씩 진행한다. 8~12명으로 진행할 때 10회기를 한다.

1회기: 〈1단계〉와 〈2단계〉

2~9회기: 〈3단계〉

10회기: 〈4단계〉와 〈5단계〉

■ 준비물: 8~10명으로 진행할 때는 다음과 같은 시간과 준비물이 필요하다.

〈표 4-1〉

| 여성의 삶 그리기 집단상담 단계 | 시간 | 준비물 |
|---|---|---|
| 1단계 | 50분 | |
| 2단계 | 50분 | 종이, 펜 |
| 3단계 | 16시간 | 도화지, 크레파스 |
| 4단계 | 50분 | 크레파스, 펜 |
| 5단계 | 50분 | |

### ✣ 집단의 구성

- 집단원: 이 프로그램은 8~12명의 여성 집단원을 대상으로 한다.
- 집단상담자: 상담자 1명이 인도할 수도 있고, 상담자 1명과 조력자 1명이 팀이 되어 인도할 수도 있다.
- 집단유형: 집단과정 전체를 계속해서 이어서 하는 마라톤집단으로 하는 것이 효과적이다.
- 시간: 총 20시간 정도 소용된다.
- 장소: 자연과 가까운 곳으로 정해 집단원들이 자연을 통한 치유도 경험하게 하는 것이 좋다.

### ✣ 집단의 특징

- 상담과정에서 여성들의 감수성을 충분히 열기 위해서 그림, 시, 음악 등을 활용한다.
- 매 회기는 2시간 정도 한다.
- 회기를 시작할 때, 집단에 집중하는 분위기를 만들기 위해서 명상을 하거나 음악을 듣고 시작한다. 음악은 상담자 취향대로 고를 수 있다. 명상음악도 좋고, 서양고전음악이나 국악도 좋고, 심수봉의 〈백만 송이 장미〉, 이은미의 〈해바라기〉, 송창식의 〈꽃보다 귀한 여인〉, 김수철의 〈못다 핀 꽃 한 송이〉 등 꽃에 대한 노래를 상징적으로 사용해도 좋다.

## 집단상담과정-1단계

| 활동 단계 | 집단상담 활동 내용 | 시간 |
|---|---|---|
| 도입 | ○ 명상 또는 음악<br><br>○ 집단상담자와 집단 소개<br>- 집단상담자를 소개한다.<br>- 집단을 소개한다. 김민예숙이 만든 '여성의 삶 그리기 집단상담'이라는 것과 이 집단의 목표를 소개한다. 목표는 여성의 권력 강화이다.<br><br>○ 활동 소개<br>- 집단의 규칙을 알리고, 집단원이 서로 인사하는 시간임을 소개한다. | 5분 |
| 전개 | ○ 활동<br>- 집단상담자의 역할을 소개한다.<br>여성의 권력 강화를 촉진하고 조력하는 집단상담자의 역할을 설명한다. (충고하거나 구원하지 않는다는 것도 설명한다)<br><br>- 집단의 규칙을 설명한다.<br>집단 참여시간 엄수, 집단활동에의 적극적 참여, 집단원들의 사적인 정보에 대한 비밀 보장, 집단 중 먹고 마시기 금지.<br><br>- 집단 운영방법을 소개한다.<br>'여성의 삶 그리기 집단상담'이 무엇이고 어떻게 하는 것인지를 설명한다. 여성을 위한 안전한 분위기 만드는 것의 중요성을 설명한다. 협력을 요청한다.<br><br>- 집단원이 자신을 소개한다.<br>이름과 현재의 감정과 집단에 대한 개인목표나 기대 등을 이야기하게 한다. 필요하면 별칭을 짓는다. 별칭을 짓는 경우, 한 사람씩 돌아가면서 다 같이 불러주어 기억하게 한다. | 40분 |
| 정리 | ○ 활동 마무리<br>- 1회기 안에서 이어지는 둘째 단계 준비를 한다. | 5분 |

## 집단상담과정-2단계

| 활동 단계 | 집단상담 활동 내용 | 시간 |
|---|---|---|
| 도입 | ❍ 명상 또는 음악<br><br>❍ 목표 제시<br>- 과거를 돌아보며 자신의 삶에 어떤 패턴이 있는지를 본다.<br><br>❍ 활동 소개<br>- 자신의 일생의 주요사건들을 쓰고, 자신의 삶 전체에 제목을 붙이는 시간임을 소개한다. | 5분 |
| 전개 | ❍ 활동<br>- 집단원에게 각자 자신의 삶에 있었던 중요한 생물학적 사건 (출생, 월경, 출산, 병 등), 심리적 사건 (우정, 연애와 실연 등), 사회적 사건 (입학과 졸업, 결혼과 이혼, 취업 등), 영적 사건 (종교 입문, 영적 수행 등)을 연대기별로 쓰게 한다.<br>과거를 돌아보며 자신의 삶에 어떤 패턴이 있는지를 발견하게 하고, 자신의 삶 전체에 제목을 붙이게 한다.<br><br>- 돌아가면서 자신이 발견한 것과 제목을 나눈다. | 40분 |
| 정리 | ❍ 활동 마무리<br>- 1회기에 대한 소감을 나눈다. | 5분 |

## 2단계의 예

### 자신의 일생의 주요사건들을 쓰고, 자신의 삶 전체에 제목 붙이기

〈표 4-2〉

사건들:

| | |
|---|---|
| 1955. 12. __. | 서울에서 김00와 민00의 네 딸 중 넷째 딸로 태어나다. |
| 1977. 9. | 이대 철학과 4학년 2학기, 한국 최초로 개설된 여성학 과목을 수강하다. <여성주의 공부 시작> |
| 1986. 3. | 미국 매사추세츠대학 대학원 철학과 박사과정에 입학해, 실존주의 철학자/신학자 키에르케고르(Kierkegaard)에 대해 배우다. <자아 초월 공부 시작> |
| 1987. 12. | 서울에서 이장호 교수가 인도하는 집단상담에 집단원으로 참여해 처음으로 상담을 경험하다. 별칭을 독수리로 짓다. <상담 공부 시작> |
| 2012. 10. 27. | 한국여성심리학회 산하 여성주의상담연구회 창립총회에서 회장으로 선출되다. |

삶의 제목: "자아 초월적 여성주의상담자의 길"

## 집단상담과정-3단계

| 활동 단계 | 집단상담 활동 내용 | 시간 |
|---|---|---|
| 도입 | ○ 명상 또는 음악<br><br>○ 목표 제시<br>- 현재의 자신의 이미지를 탐색한다.<br><br>○ 활동 소개하기<br>- 현재의 자신의 이미지를 꽃이나 나무 등으로 그리고, 성장의 걸림돌이 되는 문제를 찾아 개인적인 작업을 하는 시간임을 소개한다. | 10분 |
| 전개 | ○ 활동<br>- 집단원에게 각자 자신의 삶의 사건을 연대기적으로 써보며 떠오른 자신의 이미지를 꽃이나 나무로 그리게 한다. 그림을 그릴 때 조용한 음악을 들려주는 것, 종이를 느껴본 후에 그림을 그리게 하는 것과 평소에 쓰지 않는 손으로 또는 양손으로 그리게 하는 것도, 더 깊은 내면의 내용이 나오게 하는 데 도움이 될 수 있다.<br><br>- 집단원 모두가 그림을 그리면, 돌아가면서 자신의 그림을 소개하게 한다.<br><br>- 한 회기에 한 사람씩 자신의 그림을 자세히 설명하게 하면서 그림을 통해 다루고 싶은, 성장의 걸림돌이 되는 문제를 찾아내어 집단과 개인적인 작업을 하게 한다.<br><br>- 집단원 한 명당 1~2시간을 배당한다. 모든 집단원이 작업할 수 있게 시간배당을 잘 한다. | 내담자에 따라<br><br>30분~ 120분 |
| 정리 | ○ 활동 마무리<br>- 회기가 끝날 때마다 그 회기에 대한 소감을 나눈다. (2~9회기) | 10분 |

## 3단계의 예

자기 이미지를 꽃이나 나무로 그리기:

"나는 성장이 멈추었다고 느낀다"를 그림.

〈그림 4-1 〉

### 성장의 걸림돌이 되는 문제에 대한 작업하기의 예

- 그림을 보는 현재의 느낌은?
- 그 느낌을 더 깊게 느껴보자.
- 그 느낌이 주는 메시지는?

## 집단상담과정-4단계

| 활동 단계 | 집단상담 활동 내용 | 시간 |
|---|---|---|
| 도입 | ○ 명상 또는 음악<br><br>○ 목표 제시<br>- 걸림돌을 뚫고 나가 권력이 강화된 자신을 확인하기.<br><br>○ 활동 소개<br>- 그림을 수정하고 미래의 자신에게 주는 글(시, 편지, 구호 등)을 쓰는 시간임을 소개한다. | 5분 |
| 전개 | ○ 활동<br>- 집단원 모두의 작업이 끝난 후, 각자 자신의 원래 그림으로 돌아가 원하는 만큼 수정하게 한다.<br><br>- 그림을 수정하고 나면, 그림을 그린 종이 앞면이나 뒷면에 미래의 자신에게 주고 싶은 시, 편지, 구호 등 글을 쓰게 한다.<br><br>- 각자 수정한 그림을 보여주며 자신이 쓴 글을 큰소리로 읽게 한다.<br>과거를 돌아보고, 현재의 문제를 다룬 뒤의 글이라, 이것은 미래의 자신을 위한 글이 되기 쉽다. 일어서서 읽게 하거나, 배경음악을 틀어주면서 읽게 하는 것이 도움이 될 수도 있다. | 40분 |
| 정리 | ○ 활동 마무리<br>- 10회기 안에 이어지는 다섯째 단계를 할 준비를 한다. | 5분 |

## 4단계의 예

그림 수정하기:

"나는 다시 성장하게 되었다고 느낀다"를 그림.

〈그림 4-2〉

시쓰기

## 뿌리내리기*

불살라라 불살라라
뿌리도 없이
잎을 내고 꽃을 피우던
허약한 나무는 불살라라

모아라 모아라
부끄러움도
거짓됨도 버린
재들을 모아라

그 위에
뿌려라 뿌려라
세월을 뚫고 달려온
눈물을 뿌려라

기도하라 기도하라
잎도 말고
꽃도 말고
달콤한 열매도 말고
뿌리가
튼튼한 뿌리가 자라도록 기도하라

* 김민예숙(1977), 「뿌리내리기」, 미발표 시.

## 집단상담과정-5단계

| 활동 단계 | 집단상담 활동 내용 | 시간 |
|---|---|---|
| 도입 | ❍ 명상 또는 음악<br><br>❍ 목표 제시<br>- 집단상담을 마무리하며 피드백한다.<br><br>❍ 활동 소개<br>- 집단상담과정 전체에 대한 소감을 나누는 시간임을 소개한다. | 5분 |
| 전개 | ❍ 활동<br>- 돌아가면서 집단상담과정 전체에 대한 소감을 나눈다. 처음에 세웠던 개인목표나 기대한 것을 얻었는지, 그리고 권력이 강화되었는지를 나눈다.<br><br>- 집단상담자로서의 소감을 말한다.<br><br>- 집단상담을 종결한다. | 40분 |
| 정리 | ❍ 활동 마무리<br>- 헤어지는 인사를 한다. 분위기에 맞으면 일어서서 서로 안아주기를 한다. | 5분 |

제5장

# 여성주의상담 사례 슈퍼비전

## 1 여성주의상담 사례 제출 형식

〈표 5-1〉은 내가 슈퍼비전을 할 때 여성주의상담자(슈퍼바이지)가 슈퍼바이저에게 축어록과 함께 작성해 제출하라고 요구하는 사항들이다. 축어록에는 번호(상1, 내1 등)를 붙이라고 요구한다.

슈퍼바이지가 슈퍼비전을 준비하기 위해서는 상담을 할 때마다 기록해온 상담내용이 필요하다. 슈퍼바이지가 될 여성주의상담자는 〈사례기록지〉를 사용해 사례를 회기마다 기록하며 여성주의 슈퍼비전을 준비하게 된다.

〈표 5-1〉 여성주의상담 사례 제출 형식

| |
|---|
| 1. 슈퍼바이지의 여성주의상담자로서의 경력 |
| 2. 내담자 인적사항 |
| 3. 내담자 가족사항 |
| 4. 내담자의 호소내용 요약 |

5. 상담자가 본 내담자의 강점과 취약점

6. 상담목표

7. 상담계획 전 사례개념화(조건화의 모델로 표현)

8. 상담자와 내담자가 함께 이해한 내담자 문제

9. 상담계획

10. 상담성과

11. 상담계획 실천 후 사례개념화(조건화의 모델로 표현)

12. 내담자의 권력 강화 여부(종결된 경우)

| | |
|---|---|
| ① 개선된 자아존중감 | 1 2 3 4 5 6 7 8 9 10 |
| ② 고통의 감소와 편안함의 증가 | 1 2 3 4 5 6 7 8 9 10 |
| ③ 성역할과 문화적 역할 자각 | 1 2 3 4 5 6 7 8 9 10 |
| ④ 개선된 개인적 통제력과 자기효능감 | 1 2 3 4 5 6 7 8 9 10 |
| ⑤ 자기양육적 행위의 증가, 자기학대적 행위의 폐기 | 1 2 3 4 5 6 7 8 9 10 |
| ⑥ 개선된 문제 해결기술 | 1 2 3 4 5 6 7 8 9 10 |
| ⑦ 자기주장기술 사용 증가 | 1 2 3 4 5 6 7 8 9 10 |
| ⑧ 사회적, 경제적 지지에의 접근 증가 | 1 2 3 4 5 6 7 8 9 10 |
| ⑨ 젠더와 문화적 유연성 | 1 2 3 4 5 6 7 8 9 10 |
| ⑩ 사회운동과 제도적 변화에의 참여 | 1 2 3 4 5 6 7 8 9 10 |

13. 여성주의상담 관련
① 여성주의상담 원리 사용 여부
② 여성주의상담 기법 — 권력분석 사용 여부
③ 여성주의상담 기법 — 성역할분석 사용 여부
④ 여성주의관점의 소개 여부

14. 여성주의상담자로서의 자신에 대한 평가

15. 내담자의 피드백(종결시 받은 경우)

16. 상담과정(축어록)

# 〈사례기록지〉

<table>
<tr><td colspan="2">상담자:</td><td colspan="2">내담자:</td></tr>
<tr><td>상담일자:</td><td>소요시간:</td><td>회기:</td><td>회기목표:</td></tr>
<tr><td colspan="4">지난 회기 후 내담자의 생활에 대한 점검<br>1) 주요생활사건:<br>2) 과제수행 여부:<br>3) 변화:</td></tr>
<tr><td colspan="4">상담내용<br>1) 내담자의 진술:<br><br>2) 상담자의 개입:<br>① 정서적 개입:<br>② 인지적 개입:<br>③ 여성주의적 개입:<br><br>과제:</td></tr>
<tr><td colspan="4">회기 종결시 내담자의 피드백:</td></tr>
<tr><td colspan="4">상담자의 피드백<br>1) 상담과정과 회기목표에 대한:<br>2) 내담자에 대한:<br>3) 여성주의상담자로서의 자신에 대한:</td></tr>
</table>

## 2 여성주의 슈퍼비전의 원리

여성주의 슈퍼비전의 목표는 여성주의상담자(슈퍼바이지)가 슈퍼비전을 통해 여성주의상담자로서 역량을 증가시켜 권력 강화를 하기 위한 것이다.

나탈리 포터(Natalie Porter)는 여성주의 슈퍼비전의 단계를 4단계로 설명하고 있다(Porter, 1985). 첫째 단계는 상담사례를 여성주의적으로 이해하는 단계이다. 내담자의 문제를 전통적 상담의 관점에서 이해하는 것과 여성주의상담의 관점에서 이해하는 것의 유사점과 차이점을 슈퍼바이지와 토론하기도 하고, 여성주의상담의 관점을 슈퍼바이지에게 교육시키도 한다.

둘째 단계는 내담자에 대한 사회의 영향을 이해하는 단계이다. 즉, 사회에 존재하는 성차별주의와 성역할 고정관념을 슈퍼바이지와 함께 탐색하고 그런 것의 존재가 여성의 삶에 미치는 영향을 탐색한다. 그리고 슈퍼바이저는 내담자의 문제를 보는 초점을 심리내적이고 비역사적인 관점에서부터 더 넓은 사회문화적 관점으로 바꾸어주는 역할을 하는 것이다. 이 두 단계는 여성주의상담의 원리 중 문제를 여성주의적으로 이해하는 부분을 적용한 단계라고 하겠다.

셋째 단계는 슈퍼바이지의 태도를 탐색하는 단계이다. 이것은 가장 어려운 단계로서 가부장제 사회에서 태어나 살면서 성역할 고정관념과 성차별을 내면화해온 여성 또는 남성 슈퍼바이지의 반여성적인 태도와 행동을 탐색한다. 그리고 그런 내면화 때문에 어떤 상담자 반응이 나오는지 또 그 반응이 상담과정에 어떤 영향을 미치는지를 탐색한다. 이때 슈퍼바이저는 슈퍼바이지의 태도와 행동이 여성주의적인 것이 되도록 도와주는 역할을 하는 것이다. 이 단계는 여성주의상담의 원리 중 상담자와 내담자의 관계에 관련되는 부분을 적용한 단계라 하겠다.

넷째 단계는 상담에 대해 집단적 관점을 취하는 단계이다. 이것은 내담자의 문제를 해결하는 데 개인 중심의 상담 이외에 사회운동, 자조집단 등이 필요하다는 것을 슈퍼바이지에게 알게 하는 것이다. 슈퍼바이지로 하여금 내담자에게 도움이 되는 지역사회 자원을 탐색하고 접촉하도록 격려하고, 어떤 자원이 내담자에게 이로울 것인지를 결정한다. 슈퍼바이지는 그 지식으로 다음 상담에서 내담자에게 자원을 소개할 수 있는 것이다. 이 단계는 여성주의상담 원리 중 목표와 결과의 부분을 적용한 것이라 하겠다.

이처럼 여성주의 슈퍼비전의 과정은 상담과정에 적용되는 여성주의상담의 원리들을 그 상담을 점검하는 슈퍼비전과정에 적용하는 것이라 할 수 있다. 슈퍼비전은 상담을 점검하는 것이기에 여성주의상담에 대해 여성주의 슈퍼비전을 할 수도 있지만, 그 외의 다른 이론의 상담에 대해서도 여성주의 슈퍼비전을 할 수도 있다. 여성주의상담에 대해 할 때는 이중 점검이 되겠고, 다른 이론의 상담에 내해서는 가부장적인 가치관이 상담에 영향을 미치고 있는가를 점검하는 것이 될 것이다.

## 3 슈퍼바이지의 권력 강화

여성주의 슈퍼비전의 목표가 슈퍼바이지가 슈퍼비전을 통해 여성주의상담자로서 역량을 증가시켜 권력 강화되기 위한 것이므로 슈퍼비전 후에는 실제로 슈퍼바이지가 여성주의상담자로서의 권력 강화를 경험해야 한다. 슈퍼비전을 하면서 내담자의 권력 강화 여부를 확인해보듯이 슈퍼바이지의 권력 강화 여부를 확인해보는 것이 좋겠다는 생각이 들었다. 내담자의 권력 강화 여부를 확인해보는 지표로는 워렐과 리머가 만든 것이 있으나 슈퍼바이지의 권력 강화 여부를 확인해보는 지표는 아직 없다.

그래서 김민예숙여성주의상담실 제10회 아카데미에서 연구원들과 함께 논의하며 지표를 만들어보았다. 여성주의상담에서 중요한 것이 상담자와 내담자의 평등이듯이 여성주의 슈퍼비전에서는 슈퍼바이저와 슈퍼바이지의 평등이 중요한 것이다. 슈퍼바이저와 슈퍼바이지가 같은 지향점을 가지고 노력을 한다면 더 평등해지고 더 협력적이 될 수 있을 것이다.

〈표 5-2〉 슈퍼바이지의 12가지 권력 강화 여부 확인 1-10 척도는 2012년 8월 나와 연구원들의 협력 작업을 통해 만들어졌다. 함께 작업한 연구원들(강혜숙, 고은희, 공춘옥, 권수현, 김은아, 김주, 김현정, 이덕희, 이주연, 정주은, 정혜인, 최박미란, 홍상희)에게 감사한다. 슈퍼비전 이후 이 지표로 슈퍼비전의 성과를 확인해보면 슈퍼바이저와 슈퍼바이지 모두 슈퍼비전이라는 과정에 대한 피드백을 얻을 수 있을 것이다.

〈표 5-2〉 슈퍼바이지의 12가지 권력 강화 여부 확인 1-10 척도

| | |
|---|---|
| ① 향상된 여성주의상담자로서의 자신감 | 1 2 3 4 5 6 7 8 9 10 |
| ② 메타관점에서 내담자의 맥락과 상담과정의 맥락을 보는 능력 향상 | 1 2 3 4 5 6 7 8 9 10 |
| ③ 슈퍼바이저와의 평등한 관계 경험 | 1 2 3 4 5 6 7 8 9 10 |
| ④ 내담자와의 평등한 관계 능력 향상 | 1 2 3 4 5 6 7 8 9 10 |
| ⑤ 목표-계획-성과의 완결 능력의 향상 | 1 2 3 4 5 6 7 8 9 10 |
| ⑥ 여성 및 소수자의 삶에 대한 이해 능력 향상 | 1 2 3 4 5 6 7 8 9 10 |

⑦ 여성 및 소수자와의 공감 능력 향상 1 2 3 4 5 6 7 8 9 10

⑧ 여성주의상담자로서의 개입력 향상:
예) 상담자의 자기개방 능력 향상, 내담자에게 여성주의 관점 소개 능력 향상, 내담자의 가치관에 도전하는 능력 향상 등 1 2 3 4 5 6 7 8 9 10

⑨ 여성주의상담 기법 사용에 대한 편안함의 증가 1 2 3 4 5 6 7 8 9 10

⑩ 여성주의자 정체성 강화 1 2 3 4 5 6 7 8 9 10

⑪ 사회운동과 제도적 변화에의 참여 증가 1 2 3 4 5 6 7 8 9 10

⑫ 슈퍼바이지의 자기양육 향상 1 2 3 4 5 6 7 8 9 10

제6장

# 맺는 말

내가 19년간 여성주의상담과 관련해 연구한 것 가운데 중요한 것을 모아 5장에 걸쳐 정리하고 나니, 좀 더 치밀하게 연구해왔더라면 하는 아쉬움이 느껴진다. 동시에 연구에 적절한 자극이 부족한 가운데에서 포기하지 않고 조금씩 축적해왔다는 의미에서 뿌듯하기도 하다. 이제 한국 여성주의상담 2세대로서 디딤돌을 하나 만들었다는 생각이 들고, 앞으로의 세대들이 더 발전시켜주리라 믿는다.

제1장의 원리와 기법, 제3장의 상담과정 모델, 제5장의 슈퍼비전은 이론적 연구로나 사례를 통한 실제에 대한 연구로나 발전시켜 나가야 할 주제들이다. 여성주의상담의 특성을 살리기에 다섯 가지의 원리로 충분한지, 성역할분석과 권력분석 이외에 고유한 기법이 될 것은 없는지, 상담과정모델이 내담자마다 맞춤형이 되기 위해서는 어떻게 사용되어야 하는지, 여성주의상담의 원리에 맞는 슈퍼비전은 무엇인지 등 여러 가지 연구주제들에 관해 도전해가며 연구해야 여성주의상담이 발전할 것이다.

제4장에 집단상담 프로그램 하나를 소개했는데, 여성주의상담 원리가 반영된 더 많은 프로그램이 만들어지기를 바란다. 제2장에 간단히 정리한 여성심리는 더 깊게 연구되어 여성내담자들을 이해하고 변화시키는 데 도움을 주어야 할 것이다.

그 이외에 내가 연구하지 못했지만 여성주의상담의 발전에 필요한 부분들이 있을 것이다. 홍상희(2013)의 연구에 따르면 1985년부터 27년간 학술지에 77편의 논문이 발표되었고, 그 중 60% 정도가 개관연구이다. 앞으로는 다양한 주제, 즉 여성주의상담자, 여성주의 슈퍼비전, 여성주의상담과 다른 상담이론을 깊이 있게 연결시키는 이론 개발, 상담과정 및 성과 연구, 척도개발에 관한 연구가 필요한 것이다. 그리고 메레디스 코헨(Meredith Cohen)과 매리 발루가 지적한 대로 여성주의상담이 발전하려면 학생, 교수, 제도가 각각 발전해야 한다. 학생은 교육을 통해 어떤 역량을 갖추어야 하는지, 교수는 어떻게 교육을 해야 하는지, 제도는 어떤 모습이어야 하는지도 연구의 대상이 될 것이다. 그러려면 여성주의상담의 핵심역량이 무엇인지와 여성주의상담자 정체성 발달도 연구되어야 할 것이다. 이 모든 연구주제들이 조금씩 심화되어가면서, 그 연구 결과에 기반을 두고 상담을 하는 여성주의상담가들이 많이 배출되기를 바란다. 그러면 그들의 조력을 받아 자신의 목소리를 찾고 자신의 색깔로 꽃을 피우는 여성/소수자들이 많아질 것이다. 그리하여 자유와 성평등이 있는 성평화가 확장되어간다면 얼마나 기쁘겠는가.

부록

# 논문들

여성주의상담에 관한 소고 (1998년)

여성주의이론과 여성주의상담 (1999년)

여성주의 슈퍼비전에 관한 소고 (2000년)

성폭력 경험과 함께 살기: 재현적 사례 방법에 의한 연구 (2005년)

여성주의상담 전문가 교육 3년에 대한 성찰 (2007년)

여성주의상담의 역사에 대한 연구 (2008년)

여성주의상담 원리의 역사에 관한 연구 (2010년)

내가 여성주의상담 연구를 시작한 해인 1998년부터 발표해온 여성주의상담 관련 논문들 중 일부를 모아서 부록에 실었다. 올해까지 15년간 모두 10편의 여성주의상담 논문을 발표했는데, 그 중 7편의 논문—「여성주의상담에 관한 소고」(1998), 「여성주의이론과 여성주의상담」(1999), 「여성주의 슈퍼비전에 관한 소고」(2000), 「성폭력 경험과 함께 살기: 재현적 사례 방법에 의한 연구」(2005), 「여성주의상담 전문가 교육 3년에 대한 성찰」(2007), 「여성주의상담의 역사에 대한 연구」(2008), 「여성주의상담 원리의 역사에 관한 연구」(2010)—을 선택해 실었다. 그 이유는 이 논문들에 대한 접근성을 쉽게 하려는 것이었다. 한국의 여성주의상담 연구자들이 연구를 할 때 참고하려고 해도 ≪춘해보건대학교 논문집≫에 발표된 이 논문들을 구하기가 어렵다는 피드백을 받아왔기 때문에 춘해보건대학교의 허락을 받아 여기에 싣기로 한 것이다. 책의 일부가 되는 것이기에 국문과 영문 초록은 생략했다. 접근성을 고려한 재발표이기에 연구자들의 접근이 쉬운 ≪여성심리학회지≫에 게재된 2편의 논문—「여성주의상담자 교육 모델에 관한 연구」(2004, 공저), 「미국과 한국의 여성주의상담 역사 비교 분석」(2011)—은 싣지 않았다. 그리고 자아 초월적 여성주의상담의 이론화를 시도해본 논문 한 편은 이 책의 전체적인 흐름과 맞지 않아 제외했다.

지금 다시 읽으면 수정하고 싶은 부분들이 있는 논문이나, 한국의 여성주의상담 연구의 역사를 보여주는 것이 목적이기에 거의 수정 없이 실었다. 후배들에게 작은 디딤돌이 되기를 바랄 뿐이다.

## 여성주의상담에 관한 소고 (1998년)

1. 서론

상담심리학 안에는 특수한 집단을 대상으로 하는 상담들이 있다. 예를 들어 아동상담, 청소년상담, 노인상담이 그것이다. 따라서 여성을 일차적인 대상으로 하는 상담은 여성상담이라고 부르는 것이 논리적인 것으로 보인다. 그러나 1970년대에 시작된 이 상담은 여성상담이 아니라 여성주의상담(Feminist Counseling)이라고 불린다. 특수한 대상에 대한 이해를 넘어서서 인간과 사회 전체에 대한 새로운 생각을 포괄하는 이념을 전제하고 있다는 뜻이다.

그런 이유에서 우리나라에서 여성주의상담이 시작된 곳은 여성운동단체이며, 현재도 상담이 주로 행해지고 있는 곳은 여성상담소가 아니라 여성운동단체들이다. 대표적인 단체로는 1983년에 창립된 한국여성의 전화와 1991년에 창립된 한국성폭력상담소, 그리고 1995년에 시작된 한국여성민우회 가족과 성 상담소이다. 1998년에서야 한국여성상담센터(Korean Feminist counseling Center)라는 별도의 여성주의상담소가 처음으로 설립되었을 뿐이다.

이러한 특징을 갖는 여성주의상담이 무엇인가를 정의해보는 것이 이 글의 의미이다.

2. 여성주의상담의 개념

우리나라에서 여성주의상담에 대한 논문을 쓴 몇몇 이론가들은 모두 여성주의상담이 미국에서 1960, 1970년대에 시작되었다는 것과 우리나라에서는 1980년대에 시작되었다는 것을 인정하고 있다. "남성중심사회에서 심리적 희생자인 여성의 성장과 자유를 위한 치료는 1960년대 미국에서 출발했다. 이 치료는 여성해방철학을 구체적으로 현실에 적용해 성차별사회 안에서 여성의 경험을 이해하고 여성발달에 대한 성차별에서 자유로운 이론을 세우고자 하는 시도였다"(최해림, 1989)고 한다. 그리고 "여성상담은 한국사회에서 최근 일고 있는 여성운동과 여성연구에 힘입어 독자적인 상담의 특수영역으로 출범"(이영희, 1985)했다고 하며, "우리나라는 여성학에서 시작된 여성문제에 대한 여성연구가 여성주의상담이라는 심리적인 측면의 해결방식으로 여성문제를 보는 움직임이 일고 있다"(이은순, 1987)고 한다.

또 이규미(1996)는 "여성상담의 출발은 기존의 상담이론이 가부장적 기준을 적용해 여성을 진단하고 차별적 사회구조에 적응하도록 요구하면서 여성의 진정한 자기발견이나 잠재력 개발에 한계를 갖는다는 데서 비롯된다"고 여성상담의 필요성을 말하고 있다.

그런데 여성주의상담에 대한 인식이 일반화되지 않은 탓인지, 이 소수의 이론가들에게도 여성주의상담이라는 개념은 하나로 통일되어 있지 못하다. 이은순(1987)은 우리나라에서 출판된 최초의 여성주의상담 서적인 『여성상담의 실제』의 내용을 정리해 네 가지 접근방식을 제시하고 있다. 첫째는 여성문제가 어디서 기인하는가 하는 입장에서 여성문제를 해결하려는 것으로서, 여성학적 접근방식이다. 둘째는 여성심리를 이해하는 데 큰 영향을 끼쳐왔던 정신분석학적 성격이론에 기초해 여성주의상담을 조명하는 입장이다. 셋째는 여성문화의 특성이 현상적으로 남성문화의 특성과 어떻게 다른가를 보게 하는 여성심리학적인 성차 연구와 성역할 연구를 통해 여성주의상담에 새로운 방향을 시사하려는 입장이다. 넷째는 이제까지의 전통적인 상담의 여러 개념으로부터 상담의 정의와 상담의 이론적 모형을 제시하면서 여성주의상담을 정의하고 여성주의상담의 목표와 상담전략 그리고 상담자의 자질과 태도를 논하는 접근 방식이다.

나는 여성주의상담에 대한 위의 네 가지 접근은 압축되어 두 가지의 접근으로 다시 분류될 수 있다고 본다. 여성주의 – 성차별주의를 포함한 모든 인간 억압을 제거하려는 여성해방철학 – 에 동의하며 상담을 하는 여성주의에서의 접근과 여성들을 상담하는 데 여성심리에 대한 연구들이나 여성주의를 전략적으로 사용하는 상담에서의 접근이 그것이다. 여성주의에서의 접근에서 여성주의상담은 여성내담자들의 심리에 내면화된 가부장적 가치관을 인식시키고 여성주의적 가치관이라는 새로운 지평을 열어주는 데 초점을 맞추는 상담이다. 상담자가 여성주의의 가치관을 따르고 있어야 한다는 의미에서 상담자에게 여성주의자라는 정체성은 필수적인 것이며, 상담자는 상담을 넓은 의미의 여성주의 활동의 하나로 인식하게 된다.

반면에 상담에서의 접근에서 여성주의상담은 여러 종류의 내담자 중 여성들을 상담하는 상담의 한 영역이다. 여성내담자들을 더 잘 이해하고 더 잘 상담하는 데 필요하기에 여성심리나 성역할에 관한 연구나 남녀평등 같은 가치들을 활용하는 상담인 것이다. 상담에서의 접근에서 상담자에게 여성주의자라는 정체성은 필수적인 것이 될 필요가 없다.

나는 여성주의상담의 개념은 여성주의적 접근에서 정의되어야 논리적이라고 생각한다. 왜냐하면 여성주의의 철학은 상담에 변함없이 여성해방의 가치를 공급하는데, 그 가치가 여성주의상담에 본질적이기 때문이다. 그러나 여성내담자를 돕는다는 상담의 내용이 상담에 변함없이 여성해방의 가치를 공급하는 것은 아니다. 예를 들어 아동상담은 아동을 아동으로 인식하면서부터 시작되었으며 처음부터 '아동상담'이라고 불렸다. 그러나 여성주의상담은 여성을 여성으로 인식하면서부터 시작된 상담은 아니다. 19세기에 치료를 시작한 프로이트 시대에도 여성내담자들은 있었으며 그뿐만 아니라 가부장제도 있었으나 자연스럽게 여성주의상담으로 이어지지는 않았다. 오히려 여성내담자들을 가부장제에 적응시키는 가부장적 상담이 있었을 뿐이다. '여성주의상담'이라는 개념은 가부장제라는 사회질서가 여성에게 억압적이라는 사실과 그 질서가 불변의 것이 아니라는 통찰을 널리 알린 1970년대의 현대적 여성운동에 의해서 창출된 것이다. 그뿐만 아니라 현재에도 여성주의상담이 여성내담자들을 돕는 유일한 길은 아닌 것이다. 어떤 상담자는 가부장제를 극복하도록 도울 수도 있고 또 어떤 상담자는 여성 밖의 거대한 세력인 가부장제에 적응하도록 도울 수도 있는 것이다. 이런 이유로 나는 여성주의상담은 "여성내담자를 도와주는 상담"이라고 정의하기보다는 "여성주의의 철학에 입각해 여성내담자를 도와주는 상담"이라고 정의하는 것이 논리적이라고 생각한다.

그러나 이 정의는 더 발전된 논의를 위한 첫걸음이라고 봐야 한다. 왜냐하면 엔스(Enns, 1997)가 지적하듯이 여성주의 철학에도 여러 가지가 있기 때문이다. 미국의 여성주의상담 첫 10년을 정리해보는 논문에서 엘린 캐스책(kaschak, 1981; Enns, 1997 재인용)은 비성차별주의적 상담, 자유주의적 여성주의상담, 대중운동적 여성주의상담, 급진주의적 여성주의상담이 있었다고 말하고 있는 것이다. 우리나라에서는 아직 이렇게 세분화해서 정의할 단계가 아니기 때문에 여기서 다루지는 않기로 하지만, 앞으로의 과제로는 봐야 할 것이다.

### 3. 여성주의상담의 내담자들

어떤 상담이론도 모든 내담자에게 적절하지는 않다. 여성주의상담도 더 적절하게 그 효과가 드러나는 내담자들이 있다. 여성주의라는 철학이 여성뿐만 아니라 남성, 또 아동과 노인, 그리고 개인과 사회를 포괄해 인간해방에 대한 대안을 제시하는 것이기에, 여성주의상담의 대상이 여성에 국한되어야 하는 것은 아니다. 그러나 여성이 일차적인 내담자이기에 이 논문에서는 여성내담자만을 다루기로 한다. 여성주의상담은 가부장제와의 관계에서 정의되기 때문에, 여성에 대한 가부장적 억압과 차별의 피해자인 여성들이 일차적으로 도움을 받는 내담자가 된다. 그런데 그 피해에는 직접적 피해와 간접적 피해의 두 가지 종류가 있다.

직접적 피해자란 매 맞는 아내나 강간당한 여성 또는 매춘여성처럼 개인적인 손상을 당한 여성들이다. 우리나라에서 여성주의상담을 하고 있는 여성운동단체들, 즉 한국여성의전화와 한국성폭력상담소 그리고 가족과 성 상담소의 내담자들은 주로 이러한 직접적 피해자들이다. 이 단체들은 상담을 통해 직접적 피해자들에게 개인적인 도움을 줄 뿐만 아니라, 그들을 개인적으로 돕는 데 필요한 법이나 사회제도의 변화를 가져오는 운동도 하는데, 그 결과 1990년대에 「성폭력특별법」과 「가정폭력방지법」이 제정되었다. 여기서 알 수 있는 것은 여성주의상담에서는 개인적인 차원과 사회적인 차원이 유기적으로 연결되어 있다는 점이다.

매 맞는 아내나 강간당한 여성이 여성주의상담의 대표적인 내담자이기는 하나 그들이 가부장제의 유일한 피해자들은 아니다. 또 한 종류의 피해자인 간접적 피해자는 성장 과정에서 여성에 대한 고정관념에 의한 양육과 교육에 의해 가부장적인 가치를 내면화하고 살아가는 여성들이다. 그들은 개인적으로 부정적인 손상을 받은 것은 아니나 창조적인 자기실현을 위한 개인적으로 긍정적인 촉진을 받지 못한 여성들이다. 그들은 자라면서 "너는 무엇을 원하느냐?" "너는 무엇이 되기를 바라느냐?" 등의 질문을 받아본 적이 없다. 그들은 대체로 사회가 전통적으로 기대해왔으며 그리고 일반적으로 기대하고 있는 여성의 역할을 잘 수행하고 있으며 나아가 주변 사람들로부터 인정을 받으며 살아가고 있을 수도 있다. 그러나 사회적 기대의 차원과 구별되는 개인적 만족의 차원에서 삶이 충분히 펼쳐지지 못했다는 점에서, 그리고 그것이 여성집단 전체에 대한 가부장적 사회화에 의한 것이라는 점에서 피해자인 것이다. 다만 그들의 피해가 신체적인 결과를 갖지 않으며 또 쉽게 인식되지 않는 성질의 것이기에 간과될 수 있다. 그러나 이러한 간접적 피해를 개념화하는 것은 여성주의상담에서 중요한 일이다. 왜냐하면 그래야만 가부장제가 여성에게 미치는 영향을 포괄적으로 다루는 것이 되어 진정한 여성주의상담이 될 것이기 때문이다. 그뿐만 아니라 이러한 간접적 피해는 여성내담자와 마찬가지로 여성상담자 그리고 여성운동가까지 경험하는 것이기에, 여성주의상담의 주요 원리 중 하나인 상담자와 내담자 간의 진정한 동등성을 유지해주는 근거가 되기 때문이다. 그리고 이것은 여성주의상담의 또 다른 주요 원리인 내담자의 권력 강화(empowerment)의 기반이기도 하다. 미리암 그린스펀(Miriam Greenspan)이 말했듯이 "서로에게서 자신을 찾는 데서 우리는 힘이 강화되기 때문이다"(Greenspan, 1993).

## 4. 여성주의상담의 원리들

여성주의상담을 여성주의의 접근에서 정의하기로 할 때, 여성주의의 철학을 여성주의상담에 적용하는 것이 다음의 중요한 단계가 된다. 여성주의의 철학에서는 어떤 상담의 원리가 도출되는가, 그리고 어떤 상담의 방법론이 도출되는가가 그 내용이다.

엔스는 원리를 문제를 이해하는 관점과 상담관계와 상담목표로 나누어 보고 있다(Enns, 1997). 문제를 이해하는 관점에서의 원리로 첫째, '개인적인 것은 정치적인 것이다', 둘째 '증상을 의사소통 도구나 적응의 도구로 본다'가 있다. 상담관계에서의 원리로는 첫째 '가치중립적인 상담이 아니다', 둘째 '내담자를 유능하게 본다', 셋째 '상담자와 내담자는 평등한 관계를 가진다', 넷째 '내담자와 계약을 하며 정보를 주고 합의를 한다'가 있다. 상담목표에서의 원리로는 첫째 '적응이 아니라 변화', 둘째 '평등', 셋째 '수행성과 친교성의 균형', 넷째 '힘을 강화하기', 다섯째 '자기양육', 여섯째 '다양성을 인정하기'가 있다.

길버트(Gilbert, 1980; Enns, 1997 재인용)는 이 원리들을 압축한 두 개의 기본적 원리를 말하고 있다. 첫째 원리는 개인적인 것은 정치적인 것이다이며, 둘째 원리는 상담자와 내담자는 평등한 관계를 가진다는 것이다. 첫째 원리는 여성 개인의 심리는 여성 고유의 것이기는 하나 그 심리는 개인과 사회적 자극과의 상호관계에서 형성되기 때문에 여성을 둘러싼 사회적인 문맥을 반드시 고려해서 이해해야 한다는 것이다. 특히 가부장제라는 사회적 문맥 안에서 여성과 남성의 힘 관계가 여성의 개인심리와 인간관계 형성에 미치는 영향에 대해 섬세하게 볼 줄 알아야 한다는 것이다. 모든 힘의 관계를 정치적인 것이라 정의할 수 있기에 그리고 여남(女男)의 힘의 관계가 여성의 자아형성에 중요한 영향을 미치기에 개인적인 것은 정치적인 것이 되는 것이다. 그린스펀(Greenspan, 1995)은 여성주의상담과 전통 상담을 비교하며, 여성주의상담은 '문제는 모두 자신에게서 비롯된다'고 보지 않는다는 점이 가장 중요한 차이점이라고 지적하고 있다. 여성내담자들의 정서적 안녕을 중심으로 연구한 맥리오드(McLeod, 1994)도 치료적 개입만으로는 여성들의 정서적 안녕을 가져올 수 없으며 불평등이 내재된 사회적 여남관계의 변화가 있어야 여성들의 진정한 정서적 안녕이 실현될 수 있다고 말하고 있다.

둘째 원리는 상담자와 내담자는 모두 가부장제에 의한 피해를 본다는 공통점을 가지기에 평등한 관계를 가져야 한다는 것이다. 이 원리는 상담자의 상담이론과 상담기법에 대한 지식의 우월성을 부정하는 것은 아니다. 다만 여성문제에 대한 내담자의 지식과 체험을 존중하고 또 직접적이든 간접적이든 가부장제의 피해를 본다는 점에서 상담자와 내담자가 유대감을 형성하고 더 나아가 '자매애'를 느끼는 것이 중요하다는 점을 강조하는 것이다.

그리고 참고로 미국 심리학 협회(American Psychological Association)에서 발표한 여성주의상담자가 윤리적이고 효율적으로 상담하는 데 필요한 지침 13가지를 보면 다음과 같다. 첫째 성역할의 제한으로부터 자유로울 것, 둘째 사회 내의 성차별적 관행을 인식하고 내담자의 선택에서 이러한 관행의 탐색을 촉진할 것, 셋째 현재의 성역할과 성차별주의에 관한 연구에 대한 지식을 쌓을 것, 넷째 성 편견이나 성고정관념으로부터 자유로운 이론을 채용할 것, 다섯째 성차별적인 언어를 사용하지 않을 것, 여섯째 내담자의 문제가 사회적·상황적인 것임에도 불구하고 개인에게 원인을 돌리지 않을 것, 일곱째 치료관계에 대해 정확한 정보를 주고 합의를 볼 것, 여덟째 내담자에 대한 정보를 타자와 나눌 필요가 있을 때 반드시 내담자의 동의를 구할 것, 아홉째 권위 있는 치료절차라 하더라도 여성의 고정적인 의존심을 강화하거나 유지하는 치료가 아닐 것, 열째 내담자의 주장적 행동을 수용할 것, 열한째 신체적 학대나 성폭력과 연관된 여성내담자는 범죄의 피해자라는 인식을 가질 것, 열두째 여성내담자의 성에 대한 탐색을 장려하고 그녀 자신의 성적 선호에 대한 권리를 인정할 것, 그리고 열셋째 지침은 여성내담자와 성적인 관계를 맺거나 그녀를 성적 대상으로 대하지 않을 것이다(APA, 1978; 이규미, 1996에서 재인용). 이 지침들은 위의 두 원리를 구체화시킨 것이라 할 수 있다.

여성주의상담의 방법론에 관해서 최해림(1989)은 "여성상담은 전통적 상담을 모두 부정하는 것이 아니라 보완하기 위한 시도이므로 여성을 전인간으로 접근하고자 할 때 여성상담의 기본 개념 및 가치, 태도 등을 전제로 한다면 전통 상담의 여러 기법을 모델로 다양하게 사용할 수 있으리라 생각된다"고 말하고 있다. 나아가 행동수정법과 인지행동적 방법을 소개하고 있다. 실제로 우리나라의 여성주의상담에서 다른 상담이론의 방법론을 빌려다 활용하고 있는 것은 사실이고 효과를 보는 것도 사실이다. 그러나 우리나라 여성들을 상담하면서 여성주의상담 고유의 방법론을 발달시킨다면 여성주의상담을 체계화시키는 데 크게 기여하게 될 것이다. 이것은 아직은 여성주의상담의 과제로 남아 있을 뿐이다.

## 5. 여성주의상담자

여성주의상담에서 중요하게 조명해보아야 할 주제 중 하나는 누가 어떤 사람이 여성주의상담자가 되어야 하는가 하는 것이다. 여성주의상담의 개념에 비추어볼 때, 여성주의의 철학을 가진 사람이어야 하는 것은 자명하다. 그리고 여성주의상담의 원리에 비추어볼 때, 여성의 심리를 사회적 문맥 속에서 이해할 수 있는 학제 간의 지식이 있어야 한다는 점과 자신이 가부장제 사회에서 살면서 직접적이든 간접적이든 받은 피해에 대해 민감하게 의식하고 그것을 토대로 여성내담자들과 평등한 유대관계를 맺을 수 있는 사람이어야 한다. 여성이라고 해서 누구나 여성주의상담가가 될 수 있는 것은 아니다. 예를 들어 자신은 여성이지만 현 사회에서 아무런 피해도 입지 않았으며 여성 본인이 유능하면 남성 못지않게 자기실현을 할 수 있다고 믿는 여성들이 있다. 집단적인 의미의 여성성을 부인하는 이러한 여성들은 '명예남성'으로 불리는데, 이러한 여성들은 여성주의상담가가 될 수 없는 것이다. 여기서 문제가 제기될 수 있는 것은 남성도 여성주의상담가가 될 수 있느냐 하는 것이다. 앞서 지적했듯이 여성주의의 철학은 여성만을 위한 것은 아니다. 가부장제의 피해자 중에는 남성도 있을 수 있다. 따라서 가부장제의 의미를 정확히 이해하는 남성이라면 원칙적으로 여성주의상담가가 될 수 있다고 할 수 있다. 그러나 여남의 불평등이라는 것이 다차원적인 사회현상이므로, 그 불평등에 대해 민감하고 그것을 불식시키려 하는 강한 동기를 가진다는 등의 조건이 부과되어야 할 것이다.

여성이든 남성이든 여성주의상담가라면 여성주의 철학을 가질 뿐만 아니라, 자신의 삶을 그 철학에 자주 비추어보는 자기성찰을 하며 그 철학과 일치하는 삶을 살려고 끊임없이 노력하는 사람이어야 하는 것이다.

## 6. 여성주의상담과 여성운동

여성주의상담에서뿐만 아니라 일반 상담자들 사이에서도 내담자 개인에 대한 단순한 상담에 주력하기보다는 이러한 문제를 야기시킨 환경에 영향을 미치고 더 나아가서는 문제를 예방하는 더 적극적인 환경상담가의 역할을 담당해야 한다는 움직임이 있다(조지·크리스티아니, 1985). 그런데 대안상담이라고 불리는 이러한 상담 중 여성주의상담은 여성문제를 위해 사회적 차원에서 노력하는 여성운동이 이미 있기에 체계적으로 문제 해결을 위한 작업을 할 수 있다고 하겠다. 그렇다면 여성주의상담과 여성운동의 관계는 여성주의의 철학이라는 같은 뿌리에서 나온 두 가지와 같은 유기적인 관계로 정립되어야 할 것이다. 즉, 여성주의상담은 개인적인 차원에서 여성주의를 실현하고 있으며 여성운동은 사회적인 차원에서 여성주의를 실현하고 있는 것이다.

실제로 여성주의상담과 여성운동은 상호 도움을 주고받는 관계에 있다. 예를 들어 매 맞는 아내를 상담할 때 "아내는 맞을 짓을 하면 남편에게 맞을 수도 있다"는 생각이 잘못된 것임을 내담자에게 깨닫게 했다 해도, 전체 사회가 그런 생각을 고수하고 있으면 상담자는 내담자에게 도움을 주는 데 한계를 가지게 된다. 그래서 가정폭력이 범죄임을 선포하는 법이 있으면 좋겠다는 생각을 할 수 있으나 상담자가 법개정운동을 하기는 어려운 것이다. 그러다가 여성운동을 통해 1997년 「가정폭력방지법」이 제정되었듯이 사회제도가 변화되면 여성주의상담자 개인만이 아니라 법도 내담자를 돕게 되어 여성주의상담의 내용이 달라지게 되는 것이다. 그리고 여성운동이 법 제정이라는 목표를 성취했을 때 여성 개개인이 그것의 수혜자가 되게 하는 역할은 여성주의상담이 담당하는 것이다.

또한 여성주의상담과 여성운동은 서로를 발전시키는 중요한 역할을 할 수 있다. 여성주의상담자들도 그렇지만 여성운동가들도 가부장제하에 사는 여성들로서 가부장제 가치를 내면화하고 있으며 가부장적 사회화에 의해 간접적인 피해를 본 여성들이다. 여성주의상담가들은 이러한 여성운동가들이 자신의 내면을 의식화하며 좀 더 일관성 있는 여성주의자로 성장하는 데 상담으로 기여할 수 있는 것이다. 그리고 여성운동가들은 여성의 사회적 가능성 실현을 돕는 작업을 하여 여성주의상담가들이 여성의 삶에 대한 사고의 지평을 넓히는 데 기여할 수 있다.

## 7. 결론

20년이 넘는 여성주의상담의 역사를 가진 미국의 상담자들도 여성주의상담을 정의하기 어려운 것으로 여기고 있다. 그 이유를 엔스(Enns, 1997)는 여성주의상담이 한 명의 이론가가 만든 것도 아니고, 하나의 상담이론적 입장과 연결된 것도 아니고, 일련의 상담기법들과 연결된 것도 아니기 때문이라고 설명한다. 오히려 여성주의상담은 여러 가지 지식체계들— 여성주의, 상담방법론, 사회구조에 대한 지식, 여성과 남성의 실제 삶에 대한 지식 등 — 을 통합한 개념틀이기에 단일하게 정의하기 어렵다는 것이다. 채플린(Chaplin, 1988)도 "여성주의상담이란 기법이나 스타일이 아니다. 학파도 없다. 내게는 다른 존재방식, 서로에 대한 다른 태도, 다른 가치와 다른 사고방식이다"라고 말하고 있다. 여성주의상담의 출발점이 다르고 다른 상담이론과 다르게 발전해온 것은 사실이나, 현장에서 실천

되며 더욱 발전해야 하고 또 여성주의상담가들을 배출해내야 하는 점에서는 체계적인 이론화를 하는 것이 과제이다.

우리나라에서 여성주의상담이 처음 시작된 때는 한국여성의전화가 매 맞는 아내들을 대상으로 전화상담을 하기 시작한 1983년이다. 여성주의상담 실천의 역사가 15년이나 되지만 이론적으로는 서양의 여성주의상담가들의 노력의 결과들을 소개하는 것 이상으로 나아가지 못했다고 볼 수 있다. 즉 우리나라 여성들에게 맞게 여성주의 철학으로부터 원리를 도출해 상담장면에 적용해보며 이론화하는 작업이나, 상담사례들로부터 우리나라 여성들에게 맞는 상담의 방법론을 찾아보는 작업이 여성주의상담가들 사이에서 활발하게 이루어지지 못했다는 것이다. 이 글은 그러한 연구작업의 하나로 쓰였으며, 여기에서 충분히 다루어지지 못한 연구과제들을 발전시켜 나가는 디딤돌이 되기를 바란다.

## 여성주의이론과 여성주의상담 (1999년)

### 1. 서론

김민예숙(1998)은 여성주의상담을 "여성주의의 철학에 입각해 여성(및 남성) 내담자를 도와주는 상담"이라고 정의했다. 그러면서 마치 여성주의철학이 단일하고 자명한 것이라는 듯이 그에 대한 설명을 별로 하지 않고 있다. 여성주의상담을 이론화하는 첫 작업에서는 여성주의를, 남성을 모든 질서의 중심에 두고 여성을 주변에 두며 양성을 불평등하게 대하는 가부장제에 대한 상식적인 부정으로 보는 것으로 충분하다고 여겼기 때문이다.

그 후에 김민예숙(1999a)은 여성주의상담에 대한 일반적 정의에서 한걸음 나아가 여성주의상담의 목표로 "성에 근거한 차별과 제한을 벗어나 여성과 남성이 자아실현을 할 수 있도록 돕는 것, 즉 여성과 남성이 사회적, 정치적, 경제적으로 동등한 존재가 되기를 돕는 것"과 "각 개인이 그러한 삶을 살 수 있도록 촉진하는 성평등 사회를 만드는 것"을 제시하고 있다. 즉 여성주의상담은 성역할 고정관념과 제도화된 성차별주의에 도전하는 여성주의를 상담을 통해 실현시키려 한다는 것이다. 그러나 그 글에서도 여성주의의 목표를 총괄적으로 – 성을 근거로 한 제한이 없는 자아실현과 양성평등사회 – 설명하고 있기는 하나, 여전히 여성주의를 심도 있게 설명하고 있지는 않다.

여성주의이론이 단일한 것이 아님은 자명하다. 여성학에서 기본적인 여성주의이론으로 가르치고 있는 것만도 자유주의적 여성주의, 마르크스주의적 여성주의, 급진적 여성주의, 사회주의적 여성주의의 네 가지이다. 그리고 그 후에 문화적 여성주의, 포스트모던 여성주의 등 새로운 이론이 나오고 있다.

여성주의이론이 나뉘는 이유는 여성문제와 가부장제의 원인에 대한 설명이 다르기 때문이다. 자유주의적 여성주의는 여성과 남성은 동등한 이성의 소유자인데, 남성만 이성적 존재로 여기며 우대하는 제도와 관습으로 여성이 불평등한 사회적 지위에 처하게 된다고 본다. 남성을 우대하는 제도와 관습이 원인이므로, 여성에게 동등한 교육의 기회를 주고 제도와 관습에서 성차별적인 요소들을 없애는 것이 해결책이 된다.

마르크스주의적 여성주의는 계급 모순이 기본적이라는 마르크스주의의 전제를 인정하면서 여성 억압을 낳는 궁극적 요인을 사적 소유제 또는 그 근대적 형태인 자본주의 체제로 보는 관점이다. 출산에서의 분업을 기반으로 여성과 남성 간의 성별 분업이 생기고 남성이 더 많은 권력을 차지해 여성과 남성 사이에도 일종의 계급을 만들어졌다는 것이다. 따라서 자본가와 노동자로 나누는 계급을 없애는 것과 사적 노동(가사노동)과 공적 노동의 구별 등 성차별을 없애는 것이 해결책이 된다.

급진적 여성주의는 여남불평등의 원인은 여성과 남성을 다른 종처럼 구별하는 체계가 있기 때문이라고 본다. 생물학적 이유로 출산을 여성만이 담당하므로 여성은 남성에게 의존할 수밖에 없고, 여성과 남성을 다를 수밖에 없는 존재로 만드는 사회문화적 성별체계 – 성적 지위·역할·기질 – 가 있기에 여성은 체계적으로 차별당하고 있다는 것이다. 따라서 여성들이 과학의 발전을 통해 생물학적 출산으로부터 자유로워지거나, 사회적 개혁을 통해 사회문화적 성별체계로부터 자유로워지거나 하는 것이 해결책이 된다.

사회주의적 여성주의는 마르크스적 여성주의와 급진적 여성주의를 비판하며 등장한 이론이다. 마르크스적 여성주의에서는 자본가와 노동자 간의 계급이 근본적인 불평등이고 여성과 남성의 불평등은 부차적인 불평등이라고 여기나, 사회주의적 여성주의에서는 계급제도 이전의 성별분업이 이미 불평등했다며 여남불평등도 근본적인 것으로 보는 것이다. 그리고 급진적 여성주의에서는 여성과 남성을 대립되는 집단으로 보고 여성 내의 계급적 차이에 대해서는 다루지 않으나, 사회주의적 여성주의에서는 여성들 간에도 차이가 있음을 주목한다. 따라서 사회주의적 여성주의에서는 계급과 양성불평등 모두를 없애는 것이 해결책이 된다.

문화적 여성주의는 여성과 남성 간에는 근본적인 차이가 있는데, 역사적으로 여성에게 속한 특성들과 여성의 경험이 과소평가된 것을 여남불평등의 원인으로 본다. 따라서 여성적인 특성들 — 공감, 협력, 관계 맺는 능력 등 — 을 정당하게 평가하는 것과 그 가치를 사회 전반에 확산시키는 것이 해결책이 된다.

포스트모던 여성주의는 주체를 중심으로 설정하고 타자를 대상화하는 이분법적 사고를 기반으로 하는 근대성을 비판하며 등장한 포스트모더니즘을 여성주의와 접목한 이론이다. 근대성을 받아들인 여성주의는 주체를 인정하고 남성이 주체로 설정되고 여성이 타자가 된 것을 비판하며 여성을 주체화시키려 하나, 포스트모던 여성주의에서는 주체를 인정하지 않기에 여성이든 남성이든 주체로 설정하려 하지 않는다. 주어지는 절대적 주체란 없고 모든 사고가 구성된 것이기에, 중심과 주변이 없는 방식으로 사고를 하는 것이 해결책이 된다.

여성주의이론이 위와 같이 다양하기에, 여성주의와 여성주의의 실천 중 하나인 여성주의상담의 관계가 그리 단순한 것이 될 수는 없는 것이다. 그런 이유로 이 논문에서는 상담과 관련이 깊은 여성주의이론 세 가지 — 자유주의적 여성주의, 급진적/사회주의적 여성주의, 문화적 여성주의 — 를 선택해 그것이 함축하는 여성주의상담 실천과의 관계를 짚어본 엔스(Enns, 1997)를 소개하려고 한다.

## 2. 여성주의이론과 여성주의상담

### 1) 자유주의적 여성주의와 여성주의상담

먼저 자유주의적 여성주의에서는 여성문제의 원인을 개인의 성역할 고정관념의 사회화라고 본다. 각 개인이 여성으로, 또 남성으로 만들어지는 것이 원인이라는 것이다. 인간에게는 이성과 감성의 능력이 있는데, 가부장제 사회에서는 남성에게만 이성의 능력이 있는 듯이 사회화시킨다는 것이다.

그러므로 자유주의적 여성주의의 입장을 가진 여성주의상담자는 내담자로 하여금 어떻게 사회의 조건화가 삶에 영향을 미치고 있는지를 자각할 수 있게 촉진하며, 내담자가 개인적/인간적 힘과 관심을 근거로 선택할 수 있게 도와주는 일을 한다. 상담의 내용을 구체적으로 보자면 ① 양성적 상담, ② 성역할분석, ③ 여성주의적 인지행동 개입과 자기주장 훈련, ④ 여성주의적 가족체계상담, ⑤ 여성주의적 직업상담, ⑥ 남성의 성역할에 갇힌 남성내담자에 대한 상담들이 있다.

그리고 김민예숙(1988a)이 말했듯이 여성주의상담의 원리에는 '개인적인 것은 정치적인 것이다'라는 첫째 원리와 '상담자와 내담자의 관계는 평등하다'라는 둘째 원리가 있다. 얼핏 자명해 보이는 원리들도 어떤 입장에서 해석하느냐에 따라 달라진다. 자유주의적 여성주의의 해석은 다음과 같다. '개인적인 것은 정치적인 것이다'의 의미는 개인 내담자들은 그들에게 주어진 권리와 기회 위에서 행동해야 하고, 그런 개인적 선택은 사회구조의 변화를 가져온다는 것이다. 그리고 '상담자와 내담자의 관계는 평등하다'의 의미는 상담자는 자신의 행동을 관찰해 자신의 가치관이 내담자에게 영향을 미치지 않게 한다는 것이다. 상담자는 내담자의 선택을 중요시하고 내담자를 만족시키는 선택을 상담의 적절한 결과로 받아들인다.

### 2) 급진적/사회주의적 여성주의와 여성주의상담

급진적 여성주의와 사회주의적 여성주의는 공유할 수 없는 이질적인 면도 가진 이론들이다. 그렇지만 자유주의적 여성주의에 비해 두 이론은 사회구조적 변화를 중요하게 여긴다는 점에서 공통점을 가진다. 그리고 여성주의상담을 하는 데에서 이론의 영향을 받는 부분은 두 이론의 공통점인 부분이므로, 두 이론을 함께 다룰 수 있는 것이다.

급진적/사회주의적 여성주의는 여성문제의 원인을 성역할과 가부장적 제도와 사회구조로 본다. 개개인이 성역할 고정관념을 가지는 것도 그것을 뒷받침하는 가부장제가 있기 때문이라는 것이다.

따라서 급진적/사회주의적 여성주의의 입장을 가진 여성주의상담자는 성역할과 가부장적 사회제도와 사회구조의 극적인 변화를 요구하게 된다. 왜냐하면 내담자 내면을 지배하는 외부장치의 변화 없이는 내면의 변화가 미미할 수밖에 없기 때문이다. 상담의 내용을 구체적으로 보자면 ① 여성에게 가해지는 폭력 – 가정폭력, 성폭력 – 에 대한 상담과 폭력위기센터운동 ② 그린스펀의 급진적 사회주의적 관점에 의한 상담들이다.

폭력위기센터운동은 여성주의상담에서 중요한 부분을 차지하는 상담이고, 「여성주의상담에 관한 소고」와 「여성주의상담의 이론과 실제」에서 지적했듯이 우리나라 여성주의상담은 폭력위기센터운동으로 시작되었다. 가정폭력만 보더라도 얼핏 개인 여성(아내)이 맞고 개인 남성(남편)이 때리는 개인적인 일로 볼 수 있지만, 그런 부부관계가 전체 부부관계의 50% 정도 차지한다든지, 그 부부의 역동이 비슷하다든지 또한 사회가 그런 폭력을 방관 또는 지지한다고 할 때, 더 이상 개인적인 문제로 볼 수는 없는 것이다. 그렇기에 폭력위기센터운동이 시작된 지 14년 만인 1997년에 「가정폭력방지법」이 제정될 수 있었던 것이다. 그런데 여기서 발생하는 상담의 문제는 여성조직의 활동가이면서 상담을 하는 상담자와 전문적으로 훈련된 상담자와의 간격이다. 여성문제가 개인적인 차원의 노력으로만 해결될 수 없고 사회적인 차원의 노력도 필요로 한다는 점에서 전통적인 방법으로 학교에서 훈련받은 상담자가 여성주의상담자로 부적절한 경우가 생기는 한편, 위기에 대한 조처 이후에 심리상담이 필요할 내담자에게는 활동가 상담자가 부적절한 경우가 생기는 것이다. 서로에 대해 불신할 수 있는 두 집단이 협력할 수 있는 길은 각자 상담을 완성하려고 하기보다는 여성주의 안에서 각자의 역할을 상보적으로 규정하면 불필요한 갈등을 없앨 수 있을 것이다.

이것은 그린스펀(1995)의 입장과 이어지는데, 그린스펀은 "(여성주의상담의) 궁극적인 목표는 한 여성으로 하여금 자신의 개인적인 힘이 여성의 집합적 힘과 어떻게 얽혀 있는가를 보도록 돕는 것이다"라고 말하고 있다. 사회적 차원의 변화없이 개인적 차원의 변화만 있으면, 슈퍼우먼 같은 상징물이 되어버릴 수 있다는 것이다.

그리고 여성주의상담의 원리들에 대한 급진적/사회주의적 여성주의의 해석은 다음과 같다. "개인적인 것은 정치적인 것이다"의 의미는 상담자는 상담할 뿐만 아니라 여성문제와 관련된 사회적 행동을 한다는 것이고, 내담자에게 사회적 행동을 하도록 격려한다는 것이다. 그리고 '상담자와 내담자는 평등하다'의 의미는 내담자를 자신의 문제에 대한 전문가로 보고, 상담자는 적절한 경우에 자기노출을 한다는 것이다.

### 3) 문화적 여성주의와 여성주의상담

문화적 여성주의는 전통적인 여성성/남성성 분류를 받아들이며 가부장제가 그 중 여성성의 가치를 평가절하시킨 것이 여성문제의 원인이라고 본다.

따라서 문화적 여성주의의 입장을 가진 여성주의상담자는 내담자가 전통적인 여성적 가치들 — 공감, 협력, 관계능력 등 — 을 재평가하며 올바른 자기지식을 가지고 개인적 선택을 할 수 있게 촉진하는 상담을 한다.

상담의 내용을 구체적으로 보자면 ① 가부장적 양육방식으로는 여성 자아의 발달과정과 남성 자아 발달의 단계가 다를 수밖에 없다고 설명하는 현대 여성주의적 정신분석 상담 ② 우리 내면에 여성성/남성성의 원형이 있다고 설명하는 원형심리학들이 있다.

여성주의상담의 원리들에 대한 문화적 여성주의의 해석은 다음과 같다. "개인적인 것은 정치적이다"의 의미는 전통적인 관계적 가치를 재평가하는 것은 여성들 간의 유대를 지지하고 그런 유대가 개인주의, 경쟁, 성공을 과도하게 지향하는 기존 문화를 개혁할 수 있다는 것이다. "상담자와 내담자가 평등하다"의 의미는 상담자와 내담자가 가부장제에서 여성으로 산다는 공통분모로 유대를 형성하고, 그런 상담자의 사랑 속에서 내담자가 내면의 자아를 재구성한다는 것이다.

세 가지 이론의 영향을 받은 상담의 차이를 예를 들어 설명해보자면 다음과 같다. 첫째 아이로 딸을 낳고 또 딸을 임신 중인 여성이 내담자라고 상상하자. 그 내담자의 문제는 남편과 시댁으로부터 임신 중인 딸을 인공유산시키라고 압력을 받고 있으나 본인은 둘째 딸을 낳기를 원한다는 것이다. 자유주의적 여성주의상담자의 경우는 모든 가능성을 내담자와 함께 탐색해보겠지만, 만일 내담자가 유산을 하기로 결정한다면 그 선택을 지지할 것이다. 급진적/사회주의적 여성주의상담자의 경우는 가부장제와 남아선호사상에 대한 논의도 하며, 내담자가 유산을 하지 않기로 결정할 때 지지할 것이다. 그리고 상담자 자신이 남아선호사상을 유지시키는 호주제도 폐지운동에 참여하며, 가능하다면 내담자에게도 참여하도록 권고할 것이다. 그리고 문화적 여성주의상담자의 경우에는 내담자의 선택을 지지하겠지만, 여성상담자와 여성내담자 간의 여성유대를 튼튼히 하여 내담자가 그 유대를 기반으로 선택할 수 있게 촉진할 것이다.

## 3. 결론

상담이란 상담장면에서 내담자의 필요에 따라 상담의 과정과 방법이 결정되는 편이기에, 여성주의상담의 내용이 어떤 한 여성주의이론에 기반한 실천이기만 하기는 어렵다. 예를 들어 여성주의상담자는 그 어떤 여성주의이론을 자신의 입장으로 선택한다 해도, 성역할 사회화로 인한 고정관념으로 문제를 가진 내담자나 성차별제도나 관습으로 인해 문제를 가진 내담자나 자신이 가진 여성성을 비하시키는 데서 오는 문제를 가진 내담자를 만날 수 있는 것이다. 그렇다면 여성주의상담가는 여성주의이론에 관한 한 자신의 이론적 입장을 가지는 것이 불가능하다는 것인가 하는 의문이 제기될 수 있다. 여기에 대한 대답은 여성주의상담자는 자신이 가장 중요하다고 생각하는 여성주의이론으로 이론적 입장을 가질 수 있으나, 실존으로서의 여성을 상담할 때는 이론들과 이론이 이끄는 실천들을 절충시킬 필요가 있다는 것이 될 것이다. 왜냐하면 절대적인 지점에서 시작해 이론을 구성하는 근대성을 벗어나고 있는 시점에서, 여성문제를 어떤 한 원인으로만 설명한다는 것이 맞지 않기 때문이다. 그렇다고 상대주의에 빠져 어떤 설명도 동등한 가치를 가진다고 주장할 수는 없으나, 어떤 한 설명에 절대적인 우위를 줄 수 없는 것은 분명한 것이다. 이론 자체를 볼 때도 그럴진대, 상담이라는 실천을 하는 데는 한 가지 이론의 우위성을 주장하기는 더 어려운 것이다.

그렇다면 다양한 측면을 가진 실존을 상담할 때 이론들과 그 이론들이 이끄는 실천들을 절충시킬 필요는 분명해지는데, 문제는 어떻게 절충해야 하는가이다. 두 가지의 절충이 필요한데, 실존에 대한 가부장제의 영향을 설명하는 이론 간의 합리적인 절충과 그 실존의 문제를 해결하는 데 필요한 효과적인 실천 간의 합리적인 절충이다. 이론에 치우쳐 효과적인 실천을 못 해도 안 되고, 실천에 치우쳐 이론적 모순을 가져도 안

되는 것이다. 캐스책(kaschak, 1992)이 말한 대로 여성주의상담자의 주 과제는 "범주로서의 여성과 각 개인 여성 간의 긴장, 공통점들과 차이점 간 긴장의 유지이다. 우리가 각 개인 여성에 대한 가능한 전체 그림을 그리려면, 한편을 다른 한편을 피하는 방편으로 사용해서는 안 된다".

## 여성주의 슈퍼비전에 관한 소고 (2000년)

### 1. 들어가는 말

현재 우리나라에서 여성주의상담의 대표적인 주제인 가정폭력상담과 성폭력상담을 하고 있는 상담소는 100여 개에 이르고 있다. 그리고 그 상담소에서 행해지는 상담은 대부분 자원활동가 상담원 교육을 받은 자원활동가 상담자(activist counselor)들에 의해 이루어지고 있다. 그 중 일부 상담소에서는 상담이 적절하게 행해지는지를 점검하는 슈퍼비전을 실시하기도 한다. 슈퍼비전이란 상담에 대한 지식과 경험이 많은 상담자인 슈퍼바이저가 상대적으로 지식과 경험이 적은 상담자인 슈퍼바이지의 상담사례를 여러 가지 면에서 검토해주고, 상담자로서 성장할 수 있도록 이끌어주는 과정이다. 그런데 상담원들의 상담의 질을 향상시키기 위한 교육의 일환으로 슈퍼비전을 실시하는 여성주의상담소들의 고민은 여성주의상담을 위한 슈퍼비전의 지침이 확립되어 있지 않다는 것이다. 상담원들에게 여성주의상담을 교육시키고 여성주의상담을 하도록 지도하는데, 슈퍼비전에서 상담사례를 여성주의의 관점에 맞게 점검하지 않는다면 상담원들의 상담이 심화된 여성주의상담이 될 것을 기대하기는 어렵기 때문이다.

따라서 이 글에서는 우리나라 여성주의상담소들을 위해, 여성주의 슈퍼비전(feminist supervision)에 관한 고찰을 해보도록 하겠다.

## 2. 슈퍼비전의 일반적 목적과 기능

슈퍼비전의 일반적 목적은 슈퍼바이지가 슈퍼바이저로부터 상담에 대해 배우고, 강점과 약점을 평가하는 피드백을 받고, 지지를 받으며 상담자로서의 개인적 성장을 도모하는 것이다(Greenberg, 1980; Porter, 1985에서 재인용). 그리고 상담에 대해 배우는 것과 관련해 슈퍼비전에 관한 문헌들이 강조하는 것은 슈퍼바이저가 슈퍼바이지에게 필수적인 상담의 기법과 기술을 가르치고, 상담자와 내담자의 상호작용을 가르치는 기능이다(Porter, 1985).

슈퍼바이지가 상담자로서의 문제를 드러내고 약점을 노출시키면서, 그 문제를 해결하고 약점을 보완하거나 강점으로 변화시키는 도움을 슈퍼바이저로부터 받는다는 점에서 슈퍼비전에서의 '슈퍼바이저와 슈퍼바이지의 관계'는 상담에서의 '상담자와 내담자의 관계'와 유사하다. 그래서 내담자와 불평등한 관계를 가지는 상담자가 슈퍼바이저가 될 때는 슈퍼바이지와 불평등한 관계를 가지는 슈퍼비전이 되기 쉽고, 내담자와 평등한 관계를 가지는 상담자가 슈퍼바이저가 될 때는 슈퍼바이지와 평등한 관계를 가지는 슈퍼비전이 되기 쉬운 것이다. 다시 말해 슈퍼비전의 목적과 기능이 동일하다고 해도, 어떤 이론적 입장을 취하느냐에 따라 슈퍼비전의 과정이 달라질 수 있는 것이다.

참고로 슈퍼비전은 아니지만, 한국상담심리 및 심리치료학회 상담사례연구위원회에서 상담사례 연구를 위한 지침으로 사용하는 것은 〈표 1〉과 같다.

〈표 1〉

1. 핵심문제 및 원인

① 현 시점에서 상담을 하게 된 계기는?

② 이 사례의 내담자의 핵심문제, 혹은 증상을 일으키게 된 원인은?

2. 이론적 입장과 기법 및 상담목표와 전략

① 상담자가 사용한 이론적 배경과 기법, 상담목표와 전략(상담계획)은 무엇인가?

② ①은 이 사례의 내담자에게 적절한가, 대안이 있다면 어떤 것들인가?

③ 상담자 및 내담자의 반응 중 논의할 만한 사항이 있다면?

3. 상담효과

① 이 사례의 상담효과는?

② 이 성과를 가져오게 된 원인은?

③ 미래의 과제는?

위의 지침에서도 내담자의 문제에 따라 적절한 이론과 기법이 달라질 수 있다는 것을 전제하고 있다. 상담자가 사용할 수 있는 상담이론에는 여러 가지가 있으므로 한편 자연스러운 전제이기도 하다. 이 글에서는 모든 상담이론에서의 슈퍼비전이 아니라 여성주의상담이론에서의 슈퍼비전이 무엇인가를 알고자 하기에, 이제 여성주의 슈퍼비전을 살펴보기로 하겠다.

### 3. 여성주의상담의 원리

여성주의 슈퍼비전이란 슈퍼비전 과정에 여성주의상담의 원리를 적용한 것이다(Porter, 1985). 따라서 여성주의 슈퍼비전이 무엇인지 알려면 여성주의상담의 원리가 무엇인지부터 알아야 한다. 여기서는 엔스(Enns, 1997)가 말한 여성주의상담의 원리를 소개하기로 하겠다. 엔스는 원리를 세 부분으로 나누어 설명한다. 첫째 부분은 상담에서 내담자의 문제를 여성주의적으로 이해하는 것과 관련된 원리이다. 둘째 부분은 상담자와 내담자 관계를 어떻게 가지느냐 하는 것과 관련된 원리이다. 그리고 셋째 부분은 여성주의상담의 목표와 결과는 무엇이어야 하는가 하는 것과 관련된 원리이다.

우선 상담에서 기초가 되는 내담자의 문제를 이해하는 것과 관련된 원리로는 두 가지가 있다. 같은 내담자라도 상담자가 그 문제를 어떻게 이해하느냐에 따라 문제 자체가 달라지거나 해결의 방향이 달라지기 때문에, 문제를 여성주의적으로 이해한다는 것은 여성주의상담에서 매우 중요한 것이다. 그 첫째 원리는 내담자 개인의 문제를 심리내적으로만이 아니라 내담자에게 영향을 미쳐온 사회문화적 맥락에서 이해해야 한다는, '개인적인 것은 정치적인 것'이라는 원리이다. 예를 들어 내담자가 구타당하는 아내라 할 때, 그 여성의 성격에 남편의 구타를 유도하는 답답함이라든가 도발성이 있어 구타당한다고 이해하는 것이 심리내적 이해이다. 반면에 여성주의적인 이해는 "아내는 사흘에 한 번씩 때려야 한다"는 말을 공공연히 하며 아내 구타를 공인하는 가부장제 사회에 살기에 내담자가 구타당한다고 이해하는 것이다. 심리내적인 이해를 도외시하는 것은 아니지만, 사회문화적 맥락의 영향이해를 더 중요시하는 것이다. 그리고 둘째 원리는 내담자의 현재 행동을 병리적인 증상으로가 아니라 적응 행동으로 이해해야 한다는 원리이다. 예를 들어 내담자가 자기표현을 못 하고 위축되어 타인의 눈치만 보는 (기혼) 여성일 때 심리적 장애 때문이라고 이해하기보다는, 예측불허로 구타하는 남편이라는 해로운 환경에서 살아남기 위한 적응 행동으로 그런 행동을 할 수도 있음을 이해해야 한다는 것이다. 즉, 새롭고 자신에게 친절한 환경에서 살 수 있다면 심리치료가 없어도 그런 행동이 사라질 수 있다는 것이다.

그리고 상담자와 내담자의 관계와 관련된 원리로는 네 가지가 있다. 그 첫째 원리는 상담자가 가치중립적일 수는 없다는 관점에서, 내담자에게 상담자의 여성주의적 철학과 가치를 내담자에게 미리 말해 알게 한다는 원리이다. 상담자가 어떤 가치관으로 어떻게 상담한다는 것을 알려 내담자가 자신에게 맞는 상담자를 선택할 수 있게 하는 것이다. 둘째 원리는 내담자를 자신의 문제에 관한 전문가로 본다는 원리이다. 상담자는 상담에 관한 전문가이나 내담자의 문제에 관해서는 상담자보다 내담자가 더 잘 아는 전문가일 수 있다는 것이다. 셋째 원리는 상담자와 내담자가 가능한 평등한 관계를 맺도록 모색한다는 원리이다. 상담의 이론과 기법에서는 상담자가 전문가이고 내담자는 비전문가여서 평등할 수는 없다. 그러나 상담자와 내담자 모두가 여성일 경우 – 대부분의 여성주의상담에서 둘 다 여성이다 – 그들은 가부장제사회의 피해자라는 점에서 평등하다. 여성내담자가 구타당하는 아내, 강간당하는 여성, 성을 매매하는 여성 등으로 가부장제 사회의 직접적 피해자라면, 여성상담자는 대부분 여성이기에 자아실현을 온전히 촉진 받지 못한 간접적 피해자인 것이다 (김민예숙, 1998). 여성주의상담에서는 상담자와 내담자가 – 여성으로서 – 그러한 인간적 공통분모를 가지고 있는 경우가 많기에, 인격적 평등이 모색되기가 한결 쉬운 것이다. 그리고 넷째 원리는 상담자가 내담자와 논의한 후 상담에 관해 합의해 상담에 관한 계약서를 작성한다는 원리이다. 내담자를 위한 상담이지만 상담과정 안에서 동등한 동료가 되기 위한 장치인 것이다.

마지막으로 상담목표와 결과에 관한 원리로는 여섯 가지가 있다. 그 첫째 원리는 상담은 가부장제에의 적응을 위해서가 아니라 가부장제의 변화를 위해서 한다는 원리이다. 여성주의상담의 목표는 내담자를 가부장제에 적응시키는 것이 아니라 내담자에게 문제를 야기시키는 가부장제를 변화시키는 것이다. 둘째 원리는 불평등한 성역할로부터 자유로워지게 돕는다는 원리이다. 불평등한 성역할 고정관념과 그에 따른 성역할 사회화는 가부장제의 원리이다. 따라서 내담자가 불평등한 성역할에 의해서 아니라 자신의 고유한 잠재력과 의지에 의해서 자신의 역할을 선택하도록 돕는 것이 여성주의상담의 목표가 된다. 셋째 원리는 심리적인 양성성을 촉진한다는 원리이다. 가부장제 사회는 여성에게는 '여성적' 역할 — 보조자의 역할 — 과 '여성적' 심리 — 돌보고 관계하는 부드러운 심리 — 가 할당되고 남성에게는 '남성적' 역할 — 주도자의 역할 — 과 '남성적' 심리 — 독립적이고 성취하는 강한 심리 — 를 할당해 사회화시키고 있다. 그러한 인위적인 이원성을 사라지게 하려면 여성이든 남성이든 인간과 관계를 잘하는 친교능력과 일을 성취하는 수행능력을 지니는 것이 필요하다. 따라서 심리적으로 '여성성'과 '남성성'이 모두 있는 양성성을 촉진시키는 것이 여성주의상담의 목표가 되는 것이다. 넷째 원리는 내담자가 권력을 강화하도록(empowerment) 돕는다는 원리이다. 내담자는 양성이 불평등한 사회에서 약자의 입장에 놓인 사람이다. 그런 내담자가 건강하고 행복한 삶을 살게 하기 위해서는 평등해지는 것이 필수적이다. 그러므로 내담자가 힘을 갖추도록 돕는 것은 여성주의상담의 중요한 목표이다. 넷째 원리는 자기 스스로 돌볼 수 있게 돕는다는 원리이다. 가부장제 사회의 여성들은 타인을 돌보도록 사회화되었고 자신을 돌보면 이기적이라고 여기도록 사회화되었다. 따라서 여성내담자들이 자신을 돌보도록 돕는 것이 목표가 되는 것이다. 여섯째 원리는 다양한 상황에 있는 여성들을 포용할 수 있게 촉진한다는 원리이다. 여성주의상담은 성에 의한 차별뿐만이 아니라 계층, 인종, 성애(sexuality) 등에 의한 차별도 극복하려고 하기에 다양한 여성들을 포용하는 것이 목표가 되는 것이다.

### 4. 여성주의 슈퍼비전

여성주의 슈퍼비전의 목표란 상담자로 하여금 내담자에 대한 상담을 여성주의상담의 원리에 맞게 하도록 돕는 것이다. 따라서 여성주의 슈퍼비전의 과정 자체를 위에서 설명한 여성주의상담의 원리에 맞게 할 때, 슈퍼바이지는 여성주의상담을 배우게 될 것이다. 즉, 슈퍼바이저는 슈퍼바이지로 하여금 내담자의 문제를 심리내적으로뿐만 아니라 사회문화적 영향의 맥락에서 이해하게 교육해야 할 것이다. 그리고 상담자와 내담자 관계의 평등을 위해, 슈퍼바이저는 슈퍼바이지를 존중하며 가능한 한 평등한 관계를 가져 평등의 모델이 되어야 할 것이다. 또한 슈퍼바이지가 성역할 고정관념으로부터 자유로워지게 도와주고, 심리적으로 양성적이 되도록 촉진시켜주고, 상담자로서 힘을 갖추도록 도와주어야 할 것이다.

포터(Porter, 1985)는 이러한 여성주의 슈퍼비전의 단계를 4단계로 설명하고 있다. 첫 단계는 상담사례를 여성주의적으로 이해하는 단계이다. 내담자의 문제를 전통적 상담의 관점에서 이해하는 것과 여성주의상담의 관점에서 이해하는 것의 유사점과 차이점을 슈퍼바이지와 토론하기도 하고, 여성주의상담의 관점을 슈퍼바이지에게 교육시키도 한다.

둘째 단계는 내담자에 대한 사회의 영향을 이해하는 단계이다. 즉, 사회에 존재하는 성차별주의와 성역할 고정관념을 슈퍼바이지와 함께 탐색하고 그런 것의 존재가 여성의 삶에 미치는 영향을 탐색한다. 그리고 슈퍼바이저는 내담자의 문제를 보는 초점을 심리내적이고 비역사적인 관점에서부터 더 넓은 사회문화적 관점으로 바꾸어주는 역할을 하는 것이다. 이 두 단계는 여성주의상담의 원리 중 문제를 여성주의적으로 이해하는 부분을 적용한 단계라고 하겠다.

셋째 단계는 슈퍼바이지의 태도를 탐색하는 단계이다. 이것은 가장 어려운 단계로서 가부장제 사회에서 태어나 살면서 성역할 고정관념과 성차별을 내면화해온 여성 또는 남성 슈퍼바이지의 반여성적인 태도와 행동을 탐색한다. 그리고 그런 내면화 때문에 어떤 상담자 반응이 나오는지 또 그 반응이 상담과정에 어떤 영향을 미치는지를 탐색한다. 이때 슈퍼바이저는 슈퍼바이지의 태도와 행동이 여성주의적인 것이 되도록 도와주는 역할을 하는 것이다. 이 단계는 여성주의상담의 원리 중 상담자와 내담자의 관계에 관련되는 부분을 적용한 단계라 하겠다.

넷째 단계는 상담에 대해 집단적 관점을 취하는 단계이다. 이것은 내담자의 문제를 해결하는 데 개인 중심의 상담 이외에 사회운동, 자조 집단 등이 필요하다는 것을 슈퍼바이지에게 알게 하는 것이다. 슈퍼바이지로 하여금 내담자에게 도움이 되는 지역사회 자원을 탐색하고 접촉하도록 격려하고, 어떤 자원이 내담자에게 이로울 것인지를 결정한다. 슈퍼바이지는 그 지식으로 다음 상담에서 내담자에게 자원을 소개할 수 있는 것이다. 이 단계는 여성주의상담 원리 중 목표와 결과의 부분을 적용한 것이라 하겠다.

이처럼 여성주의 슈퍼비전의 과정은 상담과정에 적용되는 여성주의상담의 원리들을 그 상담을 점검하는 슈퍼비전 과정에 적용하는 것이라 할 수 있다. 슈퍼비전은 상담을 점검하는 것이기에 여성주의상담에 대해 여성주의 슈퍼비전을 할 수도 있지만, 그 외의 다른 이론의 상담에 대해서도 여성주의 슈퍼비전을 할 수도 있다. 여성주의상담에 대해 할 때는 이중점검이 되겠고, 다른 이론의 상담에 대해서는 가부장적인 가치관이 상담에 영향을 미치고 있는가를 점검하는 것이 될 것이다.

## 5. 우리나라의 여성주의 슈퍼비전

위에서 소개한 서양의 이론은 상담을 전문적으로 공부한 전문상담자(professional counselor)들의 상담사례를 여성주의적으로 슈퍼비전하는 과정이다. 그러나 앞서 말한 대로 현재 우리나라에서 여성주의상담을 주로 하는 상담자들은 자원활동가 상담자(activist counselor)들이다. 자원활동가들은 대체로 몇 달 이내의 짧은 상담원교육을 받고 상담을 하여, 상담 일반에 대한 지식이 부족하고 또한 여성주의상담에 대한 지식도 부족한 것이 그 특징이다. 따라서 그들에 대한 슈퍼비전은 그들이 상담관계라는 특수관계를 이끌어나갈 기본기를 갖추고 있는가를 점검하는 부분과 여성주의상담의 원리에 맞게 상담하는가를 점검하는 부분으로 나누어 진행하는 것이 현실적이며 동시에 이상적이라고 할 수 있다.

기본기가 부족한 채 여성주의상담의 원리만을 중심으로 상담을 하게 되면 상담이라기보다는 여성주의를 가르치는 교육같이 될 수도 있다. 여기서 기본기란 내담자의 문제를 탐색하고 해결하는 상담과정을 전체적으로 부드럽게 이끌어나가는 능력과 그 과정에서 필요한 상담기법들을 말한다. 우리나라 자원활동가 상담자들의 상담 대부분은 전화로 이루어지는 전화상담이다. 전화상담의 과정에 대한 연구자들은 상담과정을 듣기 단계, 다룰 것 정하기 단계, 풀기 단계, 끝내기 단계의 4단계로 구분하기도 하며(박경석·김계현, 1993; 구본용, 1995 재인용) 내담자 문제 공유하기, 다룰 문제 정하기, 문제 해결 방안 모색하기, 해결방안 연습하기, 추수상담의 5단계로 구분하기도 한다(구본용, 1995). 자원활동가 상담자들은 상담과정을 4단계로 나누든지, 5단계로 나누든지, 자신의 상담에 문제해결이라는 내용을 담으면서 부드럽게 과정을 진행시키는 능력을 터득해야 한다. 또한 그 과정을 잘 이끌어나가기 위한 상담기술들 – 경청, 공감, 명료화, 요약, 질문, 직면, 자기공개 등 – 을 능숙하게 사용할 수 있어야 하는 것이다.

반면에 여성주의상담의 원리에 대한 이해가 부족한 채 상담기법만으로 상담하게 되면 여성주의상담이 되기 어렵다. 위에서 살펴본 대로 여성주의상담이 되려면 내담자의 문제를 여성주의적으로 이해해야 하고, 내담자와 평등한 관계를 맺어야 하고, 내담자의 힘 갖추기와 같은 여성주의상담의 목표를 이루는 상담효과를 보아야 한다. 그런 상담이 되려면 원리를 이해하고 그 원리를 체화시켜야 하는 것이다.

위에서 말한 대로 우리나라의 여성주의상담은 대부분 자원활동가 상담자의 전화상담으로 이루어지고 있다. 그들을 좋은 여성주의상담자로 훈련하기 위한 우리나라의 여성주의 슈퍼비전에서는 상담의 기본기와 여성주의상담 원리의 적용을 보는 두 측면이 반드시 필요한 것이다.

## 6. 여성주의 슈퍼비전의 슈퍼바이저

서양의 여성주의 슈퍼비전의 과정을 소개하고, 우리나라 현실에서의 여성주의 슈퍼비전의 과정에 대해 제안해보았다. 이번에는 어떤 사람이 이런 슈퍼비전의 슈퍼바이저가 될 수 있겠는가 하는 점을 생각해보기로 하겠다.

여성주의 슈퍼비전이 슈퍼비전의 과정에 여성주의상담 원리를 적용하는 것이니, 슈퍼바이저는 여성주의상담 원리를 잘 알고 그에 따라 상담을 하는 상담자여야 한다. 즉, 여성주의상담자여야 하는 것이다. 그런데 슈퍼바이저는 상담에 대한 지식과 경험이 풍부한 상담자여야 한다. 그러므로 여성주의상담의 이론과 실제경험을 갖춘 여성주의상담자가 여성주의 슈퍼비전의 슈퍼바이저가 되어야 하는 것이다.

## 7. 나오는 말

이 글의 의미는 여성주의 슈퍼비전의 개념을 소개한 것이다. 우리나라에서 여성주의상담이 시작된 지 17년이 지났으나, 그 상담에 대한 슈퍼비전을 어떻게 해야 좋을지에 대한 지침이 아직까지 확립되지 못한 것이다. 이에 서양에서 정리된 이론의 소개와 함께, 우리나라 여성주의상담의 슈퍼비전에 대한 제안을 해보았다. 이 논문이 우리나라 여성주의 슈퍼비전을 발전시키는 데 작은 디딤돌이 되기 바란다.

## 성폭력 경험과 함께 살기:
### 재현적 사례 방법에 의한 연구 (2005년)

우리나라에서 성폭력상담소가 서울에 처음 설립된 것이 1994년이고, 그 후 성폭력 특별법에 의한 지원으로 전국에 많은 상담소가 생겼다. 그래서 성폭력 상담에 관한 책들도 여러 권 출판되었다(레드래이, 1995; 베스·데이비스, 2000; 이원숙, 2003; 정희진 외, 2003; 채규만, 2003). 그러나 성폭력 생존자를 개인적으로 연구한 연구는 우리나라에 거의 없다. 2003년 한국성폭력상담소가 개최한 '성폭력 생존자들의 아주 특별한 용기: 제1회 생존자 말하기 대회'에 참가했던 참가자가 다음과 같이 말했다고 한다. "내가 그 사건에 대해 말하려면 라이프 스토리를 다 이야기해야 해. 사람들은 내가 그 사건에 대해서만 말하기를 원해. 하지만 그 일에 대해서 말하면 '시시하다'는 표정들이지. 왜냐하면 난 전형적인 성폭력은 아니거든"(정희진 외, 2003). 성폭력 상담은 성폭력 경험과 함께 사는 사람을 돕는 것이지, 개인의 삶과 분리된 성폭력을 다루는 것이 아니다.

이에 연구자는 성폭력 경험과 함께 사는 한 여성을 이해해보고자 했다. 따라서 이 연구의 목적은 해석학적인 방식으로, 한 여성에 대해 수집한 자료가 한 여성에 대해 무엇을 말하는가를 보는 것이다. 이 연구를 인도한 질문은 "아동기에 성폭력을 경험한 후, 그 경험과 산다는 것은 어떤 것인가?"이다.

#### ■ 방법

이 연구는 제니퍼 고든과 프레데릭 숀츠(1990a)가 개발한 재현적 사례 접근을 연구 방법으로 사용했다.

**참여자**

이 유형의 연구에서는 주제에 대한 일차적인 지식을 가지고 있는 사람이 전문가 자문인의 역할을 한다. 이 연구의 전문가 자문인은 한이슬(가명)로서, 12살인 1980년 성폭력 경험을 했다. 그녀는 그 기억을 억압하다가, 1996년 성폭력전문상담원 교육을 받으면서 회상하기 시작했다. 그녀는 1991년 대학원 여성학과에 진학하며 여성운동에 관심을 가지게 되어 여성단체 활동을 해왔는데, 성폭력전문상담원 교육 이후 자신의 문제로 개인상담을 받기 시작했다. 연구자는 한이슬의 두 번째 상담자였고, 그 상담은 2001부터 2002년에 걸쳐 이루어졌다. 그녀는 대학원 심리상담학과에 진학하기로 하면서 연구자와의 상담을 종결했다. 2003년 연구자가 이 연구의 전문가 자문인이 되어줄 것을 요청하자, 자신에 대한 지식을 얻을 기회라 여겨 동의했고, 연구의 내용을 구두로나 활자로 알리는 것에도 동의했다.

■ 설계

자료는 석 달에 거쳐 세 번의 인터뷰(한 번에 1시간 반)로 수집했다.

**자료 수집**

〈표 1~3〉은 사건과 자료수집의 시간표를 보여준다. 행동자료는 중요한 사건들에 대한 기술을 수집하면서 얻었다. 사건은 실제 발생의 순서에 따라 번호가 매겨졌다. 성격유형은 표준화된 검사인 MBTI(Myers-Briggs Type Indicator) 검사로 알아보았다. 글과 다른 투사적 자료(꿈과 명상)는 성격의 깊은 수준을 노출시켜 주었다.

**자료 분석**

중요한 사건들은 한이슬의 고유한 수준을 해석하는 자료였다. 성격검사 결과는 그녀의 성격의 일반적 수준을 해석하게 하는 표상이었다. 꿈과 명상자료는 한이슬의 보편적 수준을 해석하는 자료였다. 이렇게 질적으로 다른 원천을 가진 정보들을 검토했을 때 대부분의 자료들을 합치시키는 포괄적인 주제가 떠올랐다.

〈표 1〉

| | 1980 | 1996 | 2000 | 2002 | 2003.8 | 2003.9 | 2003.10 | 2003.11 | 2003.12 |
|---|---|---|---|---|---|---|---|---|---|
| 인터뷰 | | | | | | | 1 | 2 | 3 |
| 중요한 사건들 | 1 | 2 | 3 | 4 | | | | | |
| 검사 | | | | | | | | | 1 |
| 명상 | | | | | 1 | 2 | | | |
| 꿈 | | 1 | | | | 2 | 3,4,5 | 6,7,8, 9,10 | |
| 글쓰기 | | | | | | | | 1 | |

〈표 2〉

| 인터뷰 날짜 | 중요한 사건들 | 검사 |
|---|---|---|
| 1. 2003. 10. 24.<br>2. 2003. 11. 21.<br>3. 2003. 12. 16 | 1. 성폭력<br>2. 성폭력의 회상과 상담 시작<br>3. 생존자 모임<br>4. 대학원 진학 | 1. MBTI |

〈표 3〉

| 명상 | 꿈 | 글쓰기 |
|---|---|---|
| 1. 다이내믹 명상(2003. 8.)<br>2. 쿤달리니 명상(2003. 9.) | 1. 변기(1996~)<br>2. 공(2003. 9.)<br>3. 변기(2003. 10)<br>4. 에스컬레이터(2003.10)<br>5. 불(2003. 10.)<br>6. 절벽 위의 집(2003. 11.)<br>7. 에스컬레이터(2003. 11.)<br>8. 놀이(2003. 11.)<br>9. 남자와의 성교(2003. 11.)<br>10. 세 여자(2003. 11.) | 1. 성폭력 경험과 나의 인생(2003. 11) |

■ 절차

첫 인터뷰는 탐색적인 것이었다. 출생부터 지금까지의 개인의 역사와 한이슬에게 고유한 중요한 사건들이 검토되었다. 두 번째 인터뷰는 표현적인 것이었다. 그녀의 글과 명상에서의 경험과 꿈에 대해 다루었다. 세 번째 인터뷰에서 심리검사를 하고 그 결과를 다루었다. 두 번째와 세 번째 인터뷰를 시작하기 전에, 연구자는 한이슬을 위해 이전의 인터뷰에서 얻은 정보를 간단히 요약하고 그 정확성을 확인받았다. 이것이 첫 번째 확인 단계였다.

세 번의 인터뷰를 통해서 다섯 가지 원천에서 얻은 자료들을 철저하게 검토한 후 연구자는 주제를 구성했다. 연구자는 자료를 통합적으로 파악하려고 노력했다. 두 번째 확인 단계로서, 연구자는 한이슬에게 전화로 해석적인 주제들을 요약하고 그 정확성과 적절성을 확인받았다.

■ 결과

내러티브 자료 속에서 다섯 가지 주제가 명백해졌다.

**피해자화**

한이슬은 성폭력 자체보다는 그 일에 대한 부모의 반응으로 인해 피해자화되었다고 느낀다(중요한 사건 #1). 그녀는 첫 번째 인터뷰에서 "그 일이 있기 전에 성교육을 받았더라면"이라고 말했다(인터뷰 #1). 16년 뒤에 그 일을 회상하며 그녀는 그 일로 자신이 더럽혀졌다고 느꼈다. 그녀는 명상에서 분노했을 때 "다시는 당하지 않겠다"고 결심했다(명상 #1).

**낮은 자긍심**

한이슬은 꿈에서 자신을 변기로 상징했다(꿈 #1, 3). 그녀는 성폭력 경험을 기억(중요한 사건 #2)한 이후 화장실 꿈을 꾸어왔다. 그녀는 자신에 대해 부정적으로 느낄 때 꿈에서 더러운 변기를 보고, 자신에 대해 낫게 느낄 때 깨끗한 변기를 본다고 말했다.

### 분노

한이슬은 성폭력에 대해서 분노를 느꼈다. 다이내믹 명상(명상 #1)에서, 그녀는 가해자에게 "나에게 이러지 말아요"라고 외쳤다. 그녀는 그와 자신을 보호하지 못한 부모(중요한 사건 #1)에게 분노를 느꼈다. 그녀가 당일 부모에게 그 일을 말하자, 누워 있던 아버지는 등을 돌렸고 어머니는 비밀로 하라고 말했다(중요한 사건 #1). 쿤달리니 명상(명상 #2)에서 성폭력 당시의 감정을 재체험하자, 그녀는 울었다.

### 회피

한이슬은 자신의 성폭력 경험을 직면하기가 너무 힘들었다고 썼다(글 #1). 그녀는 그런 일이 결코 없었더라면 하는 생각을 했다. 처음에 그 일을 회상해 말할 때 그녀는 떨렸고 불안했다(중요한 사건 #2). 그래서 그녀는 상담을 시작하기로 결정했고(중요한 사건 #2) 5년간 상담을 받았으나 끝까지 직면하지 못했다. 상담 종결 1년 뒤 그녀는 여전히 분노하고 있음을 알았으나(명상 #1, 2), 여전히 그 감정을 깊게 직면하고 싶지 않았다. 두 가지 꿈에서 그녀는 에스컬레이터를 타고 아래로 내려가기를 두려워한다(꿈 #4, 7). 내면으로 들어가는 것을 회피하는 것이 에스컬레이터를 타지 않는 것으로 상징되었다.

### 따뜻함의 추구

한이슬은 어린 시절 가족에게서 못 느낀 따뜻함을 늘 찾았고, 가해자를 따라갔던 것도 그날 밤 가해자가 자신에게 따뜻하게 대했기 때문이었다(중요한 사건 #1). 사춘기 때도 남자친구를 너무 사귀고 싶었으나, 아버지가 엄격하게 금지했기에 사귀지 못했다(인터뷰 #1). 성인이 되어서도 인간관계에서 정서적 따뜻함을 가장 원했다.

### 검사결과

MBTI 검사 프로필은 한이슬이 외향적, 감각적, 감정적, 인식적 유형(ESFP)임을 보여준다. 이것은 그녀의 활동지향적 생활, 피해받는 여성들

대한 공감, 대학원 진학을 즉흥적으로 정한 것과 일치한다.

### ■ 논의

#### 연구 참여자들의 관계

한이슬은 연구자와 상담을 시작할 때 성폭력 문제를 주로 다루려고 하지 않았다. 오히려 그녀의 남자관계들에 대한 지지를 필요로 했다. 그 당시 연구자는 한이슬이 남자들과 잘 지내는 것을 절박하게 필요로 한다는 것을 느꼈다. 그러나 이 연구를 하면서 연구자는 내담자로서의 한이슬을 충분히 공감해주지 못했음을 깨달았다. 연구자는 그녀가 얼마나 정서적으로 상처받았는지, 그녀가 얼마나 따뜻함을 필요로 하는지 그리고 남자들과의 관계를 원하는 것이 그런 필요에서 나왔음을 이해하게 되었다. 상담은 아니었지만, 연구자는 그녀에게 공감을 표현했고 한이슬은 기꺼이 받아들였다. 연구자가 그녀를 더 깊게 이해하게 된 것은 두 참여자 모두에게 보상이 되었다.

#### 수집된 자료와의 관계

이 연구의 목적은 수집된 자료의 대부분을 설득력 있게 설명하는 주제들을 찾음으로써 자료의 의미를 구하는 것이었다. 연구자는 자료를 통합하는 핵심 주제는 피해자화라고 생각한다. 한이슬은 자신이 당했고 더럽혀졌다고 생각했다. 그녀의 자기는 꿈에서 변기로 나타났다. 그녀는 명상에서 자신에게 가해를 한 사람들에게 분노했다. 또한 명상시간에 결코 다시는 당하지 않으리라고 결심했다.

이 연구를 인도한 질문은 "아동기에 성폭력을 경험한 후, 그 경험과 산다는 것은 어떤 것인가?"였다. 재현적 사례 방법의 미덕은 연구대상자를 성격구조의 고유한 면, 일반적인 면, 보편적인 면을 가진 한 인간으로 그려내게 한다는 점이다. 연구자는 한이슬을 몇십 회 상담하며 이해한 것보다 이 연구를 통해 더 깊고 입체적으로 이해하게 되었다고 생각한다.

한이슬이 가지고 있는 심리적 문제들은 아동기에 성폭력 경험을 한 후, 그 경험과 산다는 것은 어떤 것인가를 보여주었다. 문제들은 또한 성폭력 상담을 하는 상담자에게 의미 있는 실천적 함축을 포함하고 있다. 상담자는 그녀가 가지고 있는 심리적 문제들로부터 배울 수 있다. 성폭력상담자는 성폭력 생존자의 자긍심을 지지하며 피해자화를 경감시키는 따뜻한 태도를 가져야 하고, 분노와 회피를 직면하는 것을 돕는 기술을 습득해야 하는 것이다.

■ 추후 연구

연구자는 이 연구를 여성심리학회 2004년 추계학술대회에서 발표하고, 추후연구를 위해 1년 뒤인 2005년 10월 13일 1시간 한이슬을 면담했다. 그 사이 한이슬은 ≪여성신문≫에 성폭력 생존자로서 커밍아웃했고, 한국성폭력상담소에서 개최하는 '제2회 성폭력 생존자 말하기 대회'에 참가자로 참여했으며, 그 결과로 21회 한국여성대회에서 23명의 참가자와 함께 '올해의 성평등 디딤돌'상을 받았다. 성폭력 생존자를 연구해 상담심리학 석사학위를 받았고, 2005년 가을에는 한이슬이 근무하는 여성단체에서 '제1회 성폭력 생존자 말하기 대회'를 개최할 계획이라고 했다.

연구 이후의 기간에 한이슬이 지각하는 자신의 변화는 자신감과 성적 주체성이 생겼다는 것, 남자를 긍정적으로 대하게 되었다는 것, 다른 여성들을 돕는 것에 대한 소명의식을 가지게 되었다는 것이다.

연구자는 2003년 12월 연구를 마치며 상담을 통해 이해한 것보다 연구를 통해 한이슬을 더 깊게 이해하게 되었다고 생각했다. 연구 후 2년이 지나 추후 면담을 하며 한이슬이 연구의 틀로 자신을 본 것이, 성폭력의 영향에서 벗어나게 하는 데 크게 기여했음을 확인했다.

# 여성주의상담 전문가 교육 3년에 대한 성찰 (2007년)

우리나라에서 여성주의상담에 대한 수요가 급증하고 있다. 1983년 한국여성의전화가 아내 구타 문제를 여성주의상담으로 시작한 후에 성폭력피해자, 탈성매매여성, 장애인여성, 동성애자, 결혼이민자여성 등 상담을 필요로 하는 다양한 분야에서 여성주의상담으로 접근하고자 하기 때문이다. 아직 여성주의상담 교육기관이 없는 가운데 2005년 서울여성의전화가 3년 계획의 여성주의상담 전문가 교육이라는 뜻깊은 시도를 했다. 나는 자문위원과 강사로 이 계획에 참여했다. 교육이 끝난 지 1개월 정도 경과한 시점에서 수강생들이 실제로 여성주의상담 전문가가 되었는지 여부로 교육의 효과를 판단할 수는 없다. 그러나 부분적으로라도 정리하는 것이 의미 있기에, 나는 교과과정과 내가 담당했던 여성주의상담의 원리 부분에 대해서 정리하고자 한다.

## 1. 교과과정

여성주의상담 전문가 교육은 김민예숙과 강문순(2004)이 우리나라에서 처음으로 제시한 여성주의상담자 교육 모델에 따라 그 교육과정을 만들었다. 김민예숙과 강문순(2004)은 여성주의상담 전문가가 되려는 사람들에게 여성주의상담의 역사, 여성학, 상담심리학, 여성심리학, 자기성찰 다섯 가지 영역을 가르치는 것이 필요하다고 했다. 3년에 걸친 교육과정을 보면 〈표 1〉과 같다.

〈표 1〉

| | 여성주의상담 | 여성학 | 상담심리학 | 여성심리학 | 자기성찰 |
|---|---|---|---|---|---|
| 2005 | 여성주의상담 원리와 역사/ 여성주의상담의 인간 이해 | 여성주의이론의 여러 흐름 | 상담의 이해와 기법 | 여성심리 | 의식향상집단 훈련 Ⅰ, Ⅱ |
| 2006 | 여성주의상담의 원리들에 대한 이해/ 여성주의상담 기법-권력분석 | 권력과 젠더 | 대상관계이론의 이해, 인지 · 정서 · 행동치료 기법의 소개 | | 의식향상집단 |
| 2007 | 여성주의상담 기법-성역할분석, 여성주의상담의 원리/ 기법, 여성심리/여성주의상담 슈퍼비전 | 가부장제 사회에서의 성역할 | 교류분석 | 여성심리: 여성의 자아발달 | 토의: 여성주의상담가로서 나는 앞으로…… |

3년의 교과과정은 모델에서 제시한 다섯 가지 영역을 모두 다루었다. 여성주의상담 영역에서 역사, 원리와 기법을 강의하고 그리고 여성주의상담 슈퍼비전에서 이론과 실제를 모두 다루었다. 그리고 여성학 영역에서 여성주의상담 기법과 연관된 여성학 강의를 하여 강의의 연관성을 꾀했다. 권력분석을 배우는 중급에서는 "권력과 젠더"라는 강의, 성역할분석을 배우는 고급에서는 "가부장제 사회에서의 성역할"이라는 강의를 한 것이다. 상담심리학 영역에서 부족했던 것은 여성주의 관점으로 걸러진 상담이론 강의가 없었다는 것이다. 그러나 여성심리학 영역에서는 중급 강의가 빠져 있었다. 마지막 영역인 자기성찰 영역에서는 수강생이 자신을 드러낼 시간이 초급, 중급, 고급에 모두 마련되어 있었다.

## 2. 여성주의상담 원리 강의의 변화

3년에 걸친 여성주의상담의 원리 강의 내용을 보면 〈표 2〉와 같다.

〈표 2〉

| | 제목 | 그림 | 특징 |
|---|---|---|---|
| 2005 | 여성주의상담의 인간 이해 | 조건화의 모델, 2005 | 조건화와 재조건화 |
| 2006 | 여성주의상담의 원리들에 관한 이해 | 조건화의 모델, 2006 | 내적 조건의 재조건화 |
| 2007 | 여성주의상담의 원리, 기법, 그리고 여성심리 | 조건화의 모델, 2007 | 여성심리의 재조건화 |

2005년 김민예숙은 "여성주의상담의 인간 이해" 제목의 초급 강의에서 여성주의상담과 다른 상담이론과의 차이를 비교하면서, 여성주의상담의 인간관을 살펴보았다. 김민예숙은 "여성주의상담이 기존의 상담이론과 크게 다른 것은 인간이 처해 있는 외적 조건이 인성의 발달에 핵심적인 영향을 미친다고 본다는 점이다. 즉, 미시적인 조건뿐만 아니라 거시적인 조건도 개인의 인성 발달에 영향을 끼친다고 보는 것이다. 이것을 급진적 여성주의에서는 '개인적인 것은 정치적이다'라고 표현하고 있는 것이다"라고 강의했다.

그리고 내담자를 돕는 상담과정에서 "중요한 것은 내담자의 내적 조건들(욕망, 감각, 감정, 정서, 직관, 등)을 자각하게 도운 후 이 내적 조건들이 외적 조건들로부터 영향을 받아왔다는 것을 또한 자각하게 돕는 것이다"라고 강의했다. 첫째 원리를 상담과정에서 활용해야 한다는 것을 강조한 것이다. 그래서 조건에 대해 상세하게 말했다. "외적 조건들 중에는 미시적 조건들(내 가족, 내 학교, 내 직장, 내 친구, 내 이웃, 내 종교기관, 내가 보는 대중매체, 내가 가는 상담소, 등)과 거시적 조건들(정치제도, 사회제도, 교육제도, 종교제도, 이데올로기)이 있다"고 강의했고, 거시적 조건이 형성된 원인에 대해서도 "그 거시적 조건들은 그냥 존재하는 것인가? 그렇지는 않다. 그것은 과학기술의 발달 정도라는 지구적 조건에 의해서 영향받아 존재하는 것이다. 여성의 삶을 오랫동안 지배해온 가부장제는 영원히 존재해

〈그림 1〉 조건화의 모델, 2005

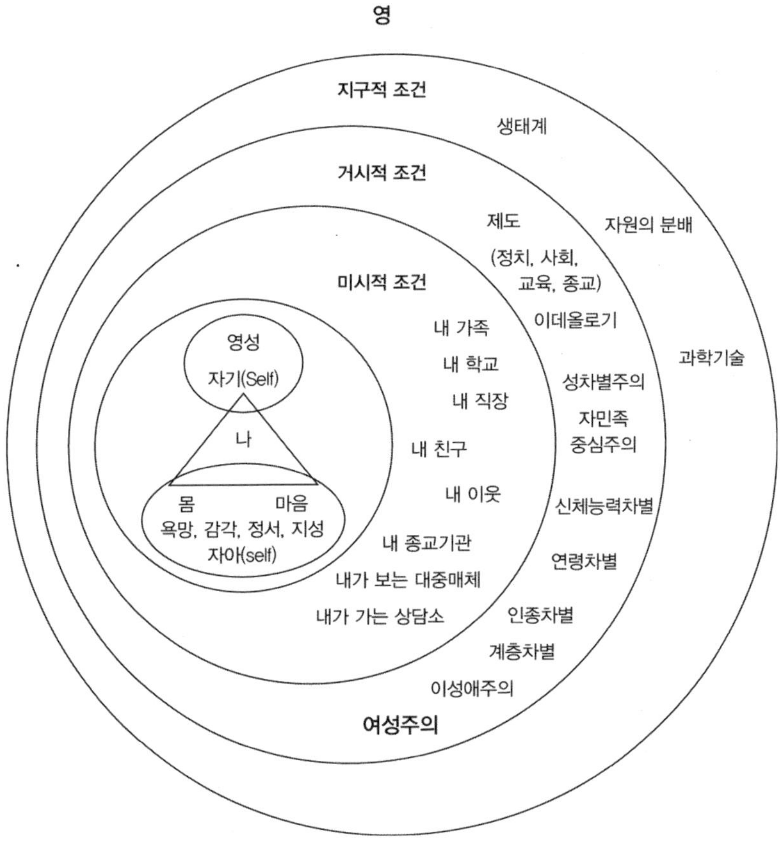


자료: 김민예숙(2005).

온 것이 아니라, 기원전 4,000년쯤에 시작된 농경화 단계에서 지구상에 그 모습을 드러낸 것이다. 그리고 현재 가부장제와 공존하고 있는 여성주의는 지구촌에서 산업화가 시작되자 등장했다"라고 강의했다.

결론적으로 여성주의상담의 인간 이해는 인간/여성은 조건화 속에서 자아를 형성한다는 것이고, 그리고 여성의 거시적 조건과 미시적 조건은 변화할 수 있고, 변화의 방향은 쌍방적이라고 강의했다.

2006년에 김민예숙은 "여성주의상담의 원리들에 관한 이해"라는 제목

〈그림 2〉 조건화의 모델, 2006

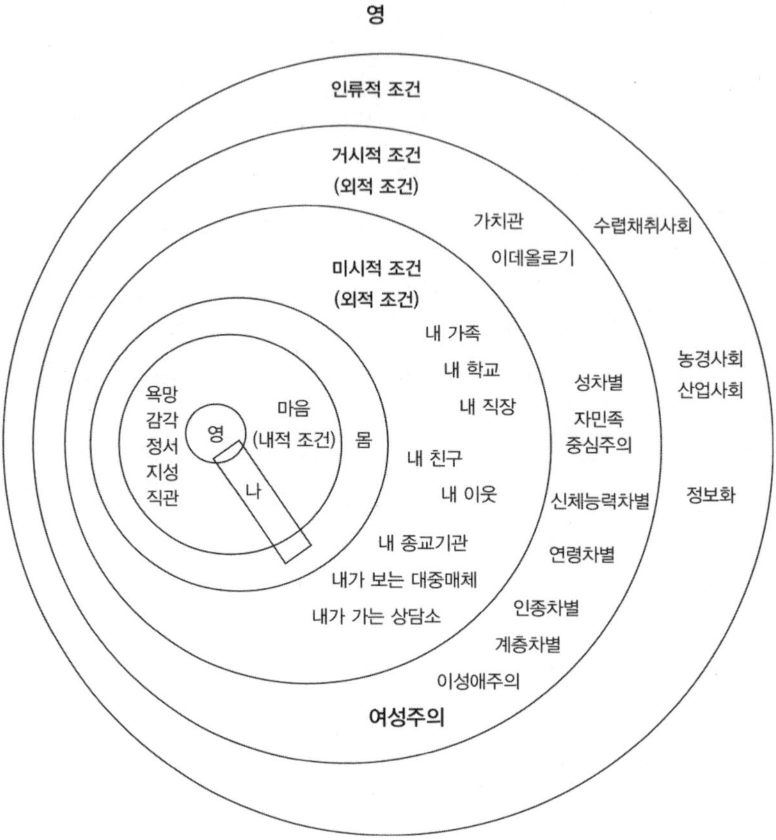


자료: 김민예숙(2006).

으로 중급 강의를 하면서, 네 가지 원리들에 관한 설명을 했다. 네 가지 원리란 ① 개인적인 것은 정치적인 것이다, ② 상담자와 내담자는 평등하다, ③ 내담자를 역량 강화한다, ④ 여성의 시각으로 조명한다이다(김민예숙 외, 2005). 특히 내담자를 이해하게 하는 첫째 원리를 설명하며, 2005년도 설명 모델인 거시적 조건과 미시적 조건에서 나아가, 상담과정에서 주로 다루어지는 미시적 조건을 미시적-외적 조건과 미시적-내적 조건으로 나누어 설명하는 2006년도 모델을 만들었다. 어린 시절(과거)

의 미시적-외적 조건이 내면화되어, 성인(현재)의 미시적-내적 조건이 되는 과정을 설명했다.

강의의 결론은 재조건화에 "여성주의상담의 유용성이 있다. 왜냐하면 여성주의상담자는 내담자에게 새로운 외적 조건을 제공할 수 있기 때문이다. 현재 내적 조건을 가져온 과거 외적 조건도 탐색하고(원리 1), 그 인과관계를 찾아내는 전문가로 대하면서(원리 2), 외적 조건의 부당성을 인정하고 내담자의 시각의 정당성도 지지해(원리 4), 내담자를 역량 강화(원리 3)하는 것"이었다. 여성주의상담자는 상담을 통해 내담자가 내면화된 과거의 미시적-외적 조건을 탈바꿈시켜 새로운 미시적-내적 조건을 갖추도록 촉진, 즉 권력 강화를 시킨다는 것이다. 그리하여 여성주의상담자는 내담자가 현재의 미시적-외적 조건 또는 현재의 거시적 조건에 맞설 수 있는 사람으로 변화하는 작업을 돕는 일을 한다는 것이다.

2007년에는 "여성주의상담의 원리, 기법, 그리고 여성심리"라는 제목의 고급 강의에서 김민예숙은 여전히 여성의 자아가 조건화 속에서 형성된다는 것과 재조건화되어야 한다는 것을 강의했다. 인간/여성의 자아는 변화하지 않는 본질적인 것이 아니지만, 자아의 변화는 어렵기에 재조건화에 대한 노력이 더 필요하다고 강의했다.

거시적 조건인 지배집단의 이데올로기로 인해, 여성들은 삶의 현장인 미시적 조건의 맥락에서 무력한 – 또는 무력함을 강요당하는 – 위치와 여성역할(자녀양육, 가사노동, 보조역할 등)과 여성심리(상처받기 쉬움, 정서노동, 관계에 대한 민감성, 돌봄, 타인에게 서비스 등)를 할당받기 쉽고, 그래서 이런 것들이 개개 여성의 현재 미시적-내적 조건이기 쉽다는 것이다. 여성주의상담자로서 내담자 여성의 역량 강화를 도우려면, 상담과정에서 내담자의 현재 미시적-외적 조건과 현재 미시적-내적 조건(그리고 그것을 가져온 과거의 미시적-외적 조건)을 이해할 줄 알아야 한다고 강의했다. 상담의 핵심은 과거가 내면화된 것이라 하더라도 현재를 현재로 다루는 것이기

〈그림 3〉 조건화의 모델, 2007

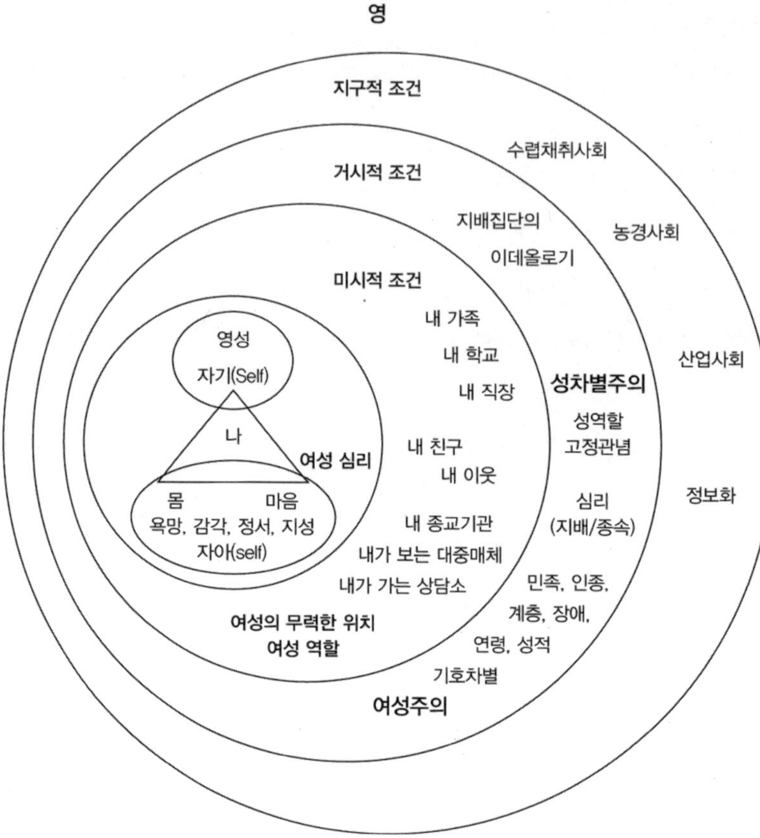


자료: 김민예숙(2007).

때문이다. 현재 미시적-외적 조건을 이해하기 위해 권력분석을 하고, 현재 미시적-외적 조건을 이해하기 위해 성역할분석을 하는 것이다. 그리고 여러 가지 조건화 속에서 발달해온 현재의 여성심리를 이해하는 것이다. 자아가 그 조건들로부터 자유로울 수 있다는 것을 알게 해야만 내담자의 탈바꿈을 촉진할 수 있다고 강의했다.

여성주의상담 원리 강의의 변화를 그림으로 표현해보면 〈그림 1~3〉과 같다.

## 3. 논의

여성주의상담 원리들은 여성주의상담에서 여성내담자를 변화시키려면, 즉 외적 조건에 의해서 내면화된 내적 조건이 변화해야 한다는 것을 말해준다. 즉, 재조건화시키려면 여성심리를 변화시켜야 하는 것이다. 그런데 교육과정을 보면 여성심리가 빠진 교육도 있었다. 이 논문에서 고찰해본 두 가지인 교육과정과 여성주의상담의 원리 강의를 연결해보면, 여성주의상담 전문가 교육에서는 여성심리 영역이 강화되어야 한다는 결론을 얻게 된다.

## 여성주의상담의 역사에 대한 연구 (2008년)

1. 들어가는 말

이 논문에서는 상담이론 중 하나이지만, 아직은 우리나라에서 생소한 여성주의상담을 소개하기 위해 그 역사를 살펴보려고 한다. 역사는 여성주의상담이 시작된 미국의 역사와 우리나라의 역사로 나누어 살펴보겠다.

2. 미국 여성주의상담의 역사

여성주의상담은 1960년대의 미국에서 일어난 제2 물결 여성운동을 배경으로 1970년대 초에 시작되었다. 40년 정도의 시간이 흐른 여성주의상담의 역사를 네 단계로 나누어 살펴보았다. 각 10년마다 그 시기의 주요 내용과 그 시기에 여성주의상담의 발전에 기여한 이론가를 소개했다.

1) 첫 번째 10년(대략 1970년대)

캐스책은 「여성주의상담: 첫 10년(Feminist psychotherapy: The first decade)」(Kaschak, 1981)에서, 엔스는 「여성주의상담의 20년: 편견에 이름붙이기(Twenty years of feminist counseling and therapy: From naming biases to implementing multifaceted practice)」(Enns, 1993)에서 첫 번째 10년을 정리했다.

### (1) 내용

프리단(Friedan, 1996)의 "여성의 문제에는 이름이 없다"라는 말로 시작된 1960년대의 제2 물결 여성운동의 결과로 여성주의상담은 시작되었다. 특히 두 가지 흐름이 그것을 만들었다.

첫째 흐름은 급진적인 여성운동이다. 여성의 참정권을 위해 투쟁한 엘리트 중심의 제1 물결 여성운동과는 달리 제2 물결 여성운동은 풀뿌리 운동으로서 대중과 함께 한 운동이었다. 여성 대중의 목소리를 듣는 방법으로 5~15명의 여성이 모여 인도자 없이 자유롭게 이야기한 것이 의식향상집단이었는데, 이 집단 과정으로부터 여성 개인의 문제가 개인이 아니라 사회적인 조건에서 기인한다는 것이 드러나게 되었다. 여성은 공동의 문제를 가지고 있기에 공동의 해결책이 있고, 그것을 위해서 공동의 대응을 해야 한다고 생각했다. 이때 의식향상집단에 참여했던 정신분석을 교육받고 전문상담자가 된 여성들은 여성의 심리만으로는 여성의 문제가 해결되지 않는다는 것을 확인하면서 급진적이 되었고, 인도자 없이 하는 의식향상집단에서 좌절감을 느낀 여성 참가자들은 개인적인 문제를 해결하려면 인도자가 필요하다는 것을 인정하게 되었다. 이렇게 여성 상담자가 인도자 역할을 선택하면서 여성주의상담은 시작된 것이다(Enns, 1993).

이 시기에 여성주의상담은 전통적 상담과의 차이를 부각시키는 데 주력했다. 여성주의상담은 내담자를 병리적으로 진단하는 것을 거부했고, 내담자 개인의 문제를 내적 심리에서 오는 것이 아니라 정치적인 것에서 온다고 보았고, 전문가만이 내담자를 안다는 위계관계를 포기했다(그린스펀, 1995). 그 결과 내담자들은 여성주의상담이 기존의 상담보다 변화에 효과적이라고 평가했다. 그 이유로는 여성주의상담이 역량 강화의 매체, 확언, 다른 여성이 있는 맥락에서의 정당화를 제공했기 때문이라고 했다(Enns, 1993).

둘째 흐름은 전문가 내부에서의 비판하는 자유주의적 여성주의이다. 여성주의 연구자들은 상담에서의 성편견을 연구했다. 그 결과 심리치료자들은 가상의 건강한 여성이 가상의 건강한 남성이나 가상의 건강한 성을 모르는 인간보다 더 복종적, 덜 모험적, 더 쉽게 영향받고, 덜 경쟁적, 더 감정적, 덜 객관적이라고 지각한다는 연구가 나왔다(Broverman et al., 1970). 같은 연구가 1980년대 중반에 행해졌을 때, 성편견이 남아 있기는 하지만 심리치료자들이 남녀 모두에게 적용되는 정신건강에 대해 단일하고 더 양성적인 기준을 가지게 되었다는 것이 드러난 것을 보면, 여성주의 연구자들의 기여를 알 수 있다. 이런 연구와 관련해 여성주의상담자들은 성역할 고정관념에 따른 사회화를 재사회화시키는 양성성치료와 행동치료의 자기표현훈련을 상담기법으로 사용하게 되었다(Enns, 1993).

여성주의상담의 첫 번째 10년의 결과를 보면 급진적 흐름은 급진치료 테크닉과 의식향상을 상담에 사용하게 했고, 진보적 흐름은 정신건강 전문가의 성편견을 연구해 양성성치료와 행동치료기술을 사용하게 했다. 그리고 여성주의상담의 실천을 위한 철학적 안내지침이 마련되었다. 길버트(Gilbert, 1980)는 "개인적인 것은 정치적인 것이다"와 "상담자와 내담자의 관계는 평등하다"라는 것으로 여성주의상담의 원리를 정리했다.

또한 첫 번째 10년의 여성주의상담자들은 내담자로 하여금 소비자의 권리를 자각하도록 격려했고, 인간들 사이의 개인적 권력을 평등화하는 것을 강조했고, 상담자와 내담자가 계약서를 작성할 것을 추천했다(Rawlings and Carter, 1977).

이 시기에 속하는 1979년 미국 심리학회에서 발표한 여성주의상담자가 윤리적이고 효율적으로 상담하는 데 필요한 지침 13가지를 보면 다음과 같다. 첫째 성역할의 제한으로부터 자유로울 것, 둘째 사회 내의 성차별적 관행을 인식하고 내담자의 선택에서 이러한 관행의 탐색을 촉진할 것, 셋째 현재의 성역할과 성차별주의에 관한 연구에 대한 지식을 쌓을 것, 넷째 성편견이나 성고정관념으로부터 자유로운 이론을 채용할 것, 다섯째 성차별적인 언어를 사용하지 않을 것, 여섯째 내담자의 문제가 사회적, 상황적인 것임에도 개인에게 원인을 돌리지 않을 것, 일곱째 치료관계에 대해 정확한 정보를 주고 합의를 볼 것, 여덟째 내담자에 대한 정보를 타자와 나눌 필요가 있을 때 반드시 내담자의 동의를 구할 것, 아홉째 권위 있는 치료절차라 하더라도 여성의 고정적인 의존심을 강화하거나 유지하는 치료가 아닐 것, 열째 내담자의 주장적 행동을 수용할 것, 열한째 신체적 학대나 성폭력과 연관된 여성내담자는 범죄의 피해자라는 인식을 가질 것, 열두째 여성내담자의 성에 대한 탐색을 장려하고 그녀 자신의 성적 선호에 대한 권리를 인정할 것, 그리고 열셋째 지침은 여성내담자와 성적인 관계를 맺거나 그녀를 성적 대상으로 대하지 않을 것이다(APA, 1978; 이규미 재인용, 1996).

첫 번째 10년이 끝나갈 때 캐스책(kaschak, 1981)은 두 번째 10년에 여성주의상담의 과제는 여성주의와 기존 형태의 상담을 통합하는 것일 것이라고 예상했다.

### (2) 이론가들

첫 번째 10년에 공헌한 이론가들로는 초도로, 수전 스터디번트(Susan Sturdivant), 에드나 롤링스와 다이엔 카터(Edna Rawlings and Dianne Carter), 엘리자베스 프라이어 윌리엄스(Elizabeth Friar Williams), 아이리스 포더(Iris Fodor)가 있다.

**초도로**(Chodorow, 1978)는 성역할 사회화 이상의 것인 성역할 무의식이 모성을 재생산하므로, 여성주의상담은 여성 무의식을 변화시켜야 한다고 해 여성주의 정신분석의 길을 열었다.

**스터디번트**(Sturdivant, 1980)는 성역할 사회화가 여성문제의 원인이어서 여성의 재사회화가 여성주의상담의 목표가 되어야 한다고 목표를 설정했다.

**롤링스와 카터**(Rawlings and Carter, 1977)는 여성의 성역할 내면화가 여성의 낮은 자존감과 자기혐오를 가져오므로, 여성주의상담은 성역할 사회화를 재사회화시켜야 한다고 여성주의상담의 목표를 설정했다.

**윌리엄스**(Williams, 1976)는 여성주의상담은 여성내담자로 하여금 피해자 행동을 포기하게 하는데, 직업을 가져 경제적 평등을 이루는 것이 중요하다고 하여 방법을 제시했다.

**포더**(Fodor, 1988)는 여성주의상담에는 인지행동치료가 적합하다고 하여, 여성주의상담의 기법에 대해 제안했다.

### 2) 두 번째 10년(대략 1980년대)

엔스는 「여성주의상담의 20년: 편견에 이름붙이기에서부터 다각적인 실천을 구체화하기까지」(엔스, 1993)에서 두 번째 10년을 정리했다.

#### (1) 내용

여성주의상담을 그 자체로 정당성을 가진 상담이론으로 정의하는 노력을 한 시기이다. 여성주의상담의 단계, 여성주의를 상담에서 구체화하는 방법, 여성주의 성격이론 등이 시도되었다. 1970년대에 발행되기 시작한 ≪계간 여성심리학(Psychology of Women Quarterly)≫에 이어 여성주의상담과 관련된 저널이 4개(*Women and Therapy, Journal of Feminist Family therapy, Feminism and Psychology, Affilia*) 발행되었다. 1982년에는 여성주의상담연구소(Feminist Therapy Institute: FTI)가 설립되었다.

주요 내용을 보면, 첫째로 심리치료자들이 사용하는 성역할 고정관념이 반영된 기존 진단명을 비판하며, 여성주의상담자들은 남성성의 문제를 정의하는 진단명을 제안했다. 마시 캐플런(Kaplan, 1983)은 '독립적 성격장애'와 '제한적 성격장애'를, 파울러 캐플런(Caplan, 1991)은 '망상적 지배적 성격장애'를 제안했다. 여성주의상담자들은 대안적 총평법으로 젠더역할 분석을 사용하기도 했다. 외적 조건의 영향을 인정하기에 '외상 후 스트레스 장애'라는 진단명은 환영을 받았지만, 외상이 일상적인 여성문제에 적합한 '학대와 억압 초래 장애'를 브라운(Brown, 1992)은 제안하기도 했다(Enns, 1993).

둘째로 여성주의상담자들은 기존 성격이론을 비판하며, 여성주의 성격이론의 필요성을 말했다. 러먼(Lerman, 1986)이 그 이론이 충족시켜야 할 8가지 가정을 제시했다. 그것들은 임상적으로 유용할 것, 여성의 다양성(계층, 인종, 성적 지향, 민족성, 삶의 양상)을 포괄할 것, 여성을 긍정적으로 볼 것, 여성의 경험으로부터 나올 것, 경험적 자료에 긴밀하게 연결될 것, 내적 세계와 외적 세계의 얽힌 관계를 인식할 것, 성역할 고정관념을 가진 특정 개념을 피할 것, 여성주의상담을 지지할 것들이다(Enns, 1993).

세 번째로 여성주의상담자들은 여성주의와 기존 상담이론을 통합하려 했다. 아들러치료, 인지행동치료, 게슈탈트치료와의 통합이 시도되었고, 1970년대에 비판받았던 정신분석이 그 유용함을 인정받았고, 반대로 수용되었던 가족치료가 비판받았다. 여성주의상담자들은 정신분석의 무의식과 억압 개념을 수용할 때, 사람들이 어떻게 젠더 정체성을 가지느냐, 어떻게 남성지배와 가부장제가 재생산되느냐, 자연과 생물학이 어떻게 문화에 영향을 미치느냐, 남성지배가 어떻게 '자연스러운' 것이 되느냐, 여성들이 양육자의 역할을 하는 가족이 어떻게 여성 비하와 남성 지배에 공헌하느냐를 포괄적으로 설명할 수 있다는 것을 수용하게 된 것이다. 반면에 가족치료가 가족이 놓여 있는 맥락을 무시하고 모든 것을 가족의 대인관계로만 설명하기에, 가족 내의 폭력(아내 구타, 근친 강간, 아동 학대)을 사소화시키고 양육자의 역할을 하는 어머니를 비난하는 오류를 범한다고 비판했다. 여성주의상담자들은 여성주의 가족치료가 충족시켜야 할 네 가지 가정을 제시했다. 젠더 고정관념에 제한되지 않은 행동을 모델로 할 것, 젠더 고정관념과 가족 내 권력·보상·노동의 할당 관계 그리고 여성의 사회화와 자원의 접근권과 가족에 대한 책임의 관계에 민감할 것, 성차별적 사고가 개인의 선택과 과제와 역할 재분배를 방해한다는 것을 검토할 것, 어떤 개입도 젠더 함축으로부터 자유롭지 않다는 것을 인식할 것들이다(Enns, 1993).

네 번째로 여성주의상담자들은 여성주의상담을 다양한 문제에 적용했다. 1970년대에 시작된 아내 구타와 성폭력 이외에 실패공포증/사기꾼 증후군, 노년기 여성 문제, 중독, 섭식장애, 신체 이미지 문제, 성문제 등에서 여성주의상담을 했다. 문제에 이름을 붙이고 재개념화하면서 자기표현훈련, 이미지기법, 역할극, 행동수정, 대처기술훈련, 인지재구조화, 자기확언과 자기양육기술, 결정훈련 등의 기법을 사용했다. 그러면서 1980년대에는 집단상담이 증가했다(Enns, 1993).

다섯 번째로 유색 여성 여성주의상담자들로부터의 비판이 있었다. 여성의 공통점에 초점을 맞춘 1970년대의 여성주의상담은 중산층의 백인 여성을 위한 것이었다는 것이다. 그들을 포괄하는 여성주의상담이 되려면 인종차별·성차별·계층차별의 해로운 효과를 인정하고, 인종/민족 소수집단과 관련된 분노와 자기격하의 감정을 탐색하고, 자신의 문제를 해결할 수 있는 그들의 유능함을 인정하고, 사회적 환경과 내적 경험의 상호작용을 명료화하고, 사회의 패턴을 변화시킬 기회를 고려해야 한다고 했다(Enns, 1993).

여섯 번째로 여성주의상담자들의 비윤리적 행동에 대한 비판이 있었다. 상담자의 성별이 대부분 남성이고 남성상담자의 비윤리성이 문제가 되던 1970년대에는 여성이 상담하면 평등이 이루어져 윤리적 문제가 없으리라는 소박한 생각을 했다. 그러나 여성주의상담자들이 많아지면서 내담자에 대한 성적 착취를 포함한 권력 문제가 생겨, 여성주의상담연구소는 1990년에 다섯 가지 영역에서 여성주의 윤리 지침을 만들었고 그 내용은 다음과 같다.

1. 문화적 다양성과 억압에 대한 인식
   A. 여성주의 심리치료자는 내담자가 상담을 필요로 하는 경우 쉽게 접근할 수 있도록 접근성을 높여야 한다.
   B. 여성주의 심리치료자는 자신의 민족과 문화적 배경, 성별, 계급, 나이, 성적 정체성이 갖는 의미에 대해서 인식한다. 그녀는 다른 민족, 다른 문화적 경험에 대한 지식을 넓히는 데 적극적으로 개입한다.
   C. 심리치료자는 문화적 경험적 차이를 존중한다.
   D. 여성주의 심리치료자는 그녀가 가지고 있는 편견에 직면하며, 이를 변화시킬 책임을 갖고 있다.
2. 권력 차이에 대한 인식
   A. 여성주의 심리치료자는 상담가와 내담자 간의 권력 차이에 대해 인식한다.
   B. 여성주의 심리치료자는 내담자가 심리치유 과정을 활용할 수 있도록 정보를 개방한다.
   C. 여성주의 심리치료자는 내담자와의 상호과정에서 공식적, 비공식적인 협상을 필요로 한다. 이러한 의사결정과정을 통해 그녀는 심리치유의 이슈를 명백하게 만든다.
   D. 심리치료자는 내담자가 권력관계를 인식할 수 있도록 도와야 한다. 그녀는 내담자에게 권리에 대한 정보를 주어야 한다. 그녀는 내담자가 스스로를 보호할 수 있는 방법을 찾을 수 있도록 도와야 한다.
3. 중첩적인 관계들에 대한 인식
   A. 여성주의 심리치료자는 다양하고 중첩적인 관계 간의 복잡성과 갈등을 인식해야 한다. 그녀는 내담자에게 모욕을 주거나 해를 끼칠 수 있는 관

계들을 모니터할 책임이 있다.

B. 여성주의 심리치료자는 지역사회에 깊이 개입되어 있는 사람이다. 따라서 그녀는 내담자와의 관계에 대해 비밀을 지킬 책임을 갖고 있다.

C. 특히 제3자의(예를 들어 부모, 자식, 파트너 등) 요청으로 내담자와 만나게 되는 경우라면, 여성주의 심리치료자는 심리치료자의 의무, 역할, 책임 등에 대해 내담자에게 충분히 전달한다. 그녀는 또한 내담자가 어린아이이거나 노인일 때는 내담자와 이들을 보살피는 사람과의 갈등에 대해서 모니터해야 한다.

D. 여성주의 심리치료자는 내담자와 어떤 방식으로도 성적인 친밀감을 나누어서는 안 된다.

4. 심리치료자의 책임에 대한 인식

A. 여성주의 심리치료자는 자기 자신에게, 동료에게, 그리고 특히 내담자에게 책임을 다해야 한다.

B. 여성주의 심리치료자는 그녀의 능력의 범위 안에서 내담자와 계약하게 될 것이다. 만약 그녀의 능력을 넘어서는 문제에 부딪히게 된다면, 여성주의 심리치료자는 이에 대해 자문받거나 도움이 될만한 자료들을 적극적으로 활용한다. 그리고 내담자에게 그녀의 한계를 설명하고, 내담자가 그녀와 상담을 계속할 것인지, 다른 심리치료자로 바꿀 것인지 선택할 수 있도록 해야 한다.

C. 여성주의 심리치료자는 자신의 개인적, 전문적 욕구를 인식하고, 계속해서 자기 평가, 동료들로부터의 지원, 자문, 지도(supervision), 학습, 개인적인 치유의 시도를 전개한다. 그녀는 자신의 정서적, 정신적, 육체적 건강뿐 아니라 자신의 능력을 평가하고 이를 향상하기 위해 노력한다.

D. 여성주의 심리치료자는 계속해서 자신의 훈련 정도와 이론적 배경을 평가하고, 여성주의적 지식의 발달을 수용할 수 있도록 연구한다. 그녀는 여성주의를 심리학적 이론에 통합하고, 계속해서 치유를 위한 훈련을 받

아들이고, 자신의 능력의 한계를 인정한다.

E. 여성주의 심리치료자는 스스로를 돌보기 위한 활동에 적극적으로 참여한다. 그녀는 자신의 욕구와 상처에 대해 인식한다. 그녀는 또한 자기 자신을 성장시키고, 자신에게 힘을 북돋우는 방법을 기꺼이 취한다.

5. 사회적 변화에 대한 인식

A. 여성주의 심리치료자는 사회적 변화에 영향을 미칠 수 있는 다양한 길을 추구한다(교육활동, 법 개정을 위한 로비 등을 포함한 적절한 활동).

B. 여성주의 심리치료자는 내담자들 또는 심리치료자들에게 해를 끼치는 지역의 어떤 움직임에 대해 적극적으로 문제 제기를 한다.

C. 여성주의 심리치료자는 부정의에 대한 내담자의 인식을 격려한다. 그리고 정의를 위한 행보를 돕는다.

D. 여성주의 심리치료자는 지배적인 주류의 규범을 사용하라는 압력에 문제 제기한다. 여성주의 심리치료자는 사회경제적인 변화와 발전을 인식하고, 이에 따라 내담자와 소통을 한다.

E. 여성주의 심리치료자는 부단히 지속되는 사회적 변화의 가운데서 정치적인 것이 개인적인 것이라는 것을 인식한다(FTI, 1990).

일곱 번째로 여성주의상담자 훈련에 필수적인 과목들이 제시되었다. 그것은 여성주의이론, 여성 관련 사회정치적·정책적·법적 이슈들, 여성심리, 연구방법, 여성주의상담과 치료, 집단치료, 다문화치료, 사회 활동을 포함하는 거시적 기술, 윤리 훈련, 여성주의 페다고지(Pedagogy), 의식향상집단 참여, 여성내담자와의 상담 훈련들이다. 훈련은 여성주의상담연구소와 미국심리학회 여성심리분과에서 행한다(Enns, 1993).

두 번째 10년의 결과를 전체적으로 보면, 여성주의자라는 것은 여성주의상담자가 되는 것에 필요하나 충분하지 않다는 것이 드러났고, 심리적 개입과 성격이론과 진단적 실천에 정치사회적 권력의 영향이 커서 지속해서 주의해야 한다는 것과 여성주의상담에 도움이 되는 이론과 기술에 대한 지속적인 연구가 필요하다는 것이 드러났다. 예를 들어 처음에 젠더 편견으로 비판받았던 정신분석이 유용한 측면이 있다는 것을 인정받게 되었고, 처음에 젠더 중립적으로 보였던 가족치료가 비판받았고, 여성주의적으로 여겨졌던 양성성과 실패공포 연구가 제한점을 가진다는 것이 드러났다. 여성의 다양성(경제적 지위, 성격 스타일, 성차별, 인종차별, 자민족중심주의, 연령차별, 이성애주의 등으로 인한)과 공통점을 동시에 찾아 균형을 잡아야 한다는 도전을 받았고, 개인 변화와 사회 변화를 통합해야 한다는 도전을 받았다.

두 번째 10년이 끝나갈 때, 1990년대 초반부터 시작되는 세 번째 10년에 여성주의상담이 받을 도전으로 몇 가지 지적되었다. 레노어 워커와 듀튼더글러스(Walker and Dutton-Douglas, 1988)는 "변화와 정서적 성장에 대한 이론과 통합된 여성 발달에 대한 완전한 여성주의 심리학이론"이 필요하다고 했다.

마사 메드닉(Mednick, 1991)은 여성심리에 미치는 사회적 요인의 영향을 연구하는 여성주의 연구자와 여성 개인의 심리역동을 강조하는 여성주의상담자 간의 균열이 메워질 필요가 있다고 했다. 이것은 첫 번째 10년의 입장이 역전된 것이다. 첫 번째 10년에는 여성주의 연구자가 자유주의적이고 개인주의적 관점을 가지고 개인의 젠더역할에 대한 연구를 주로 했고, 여성주의상담자가 급진적인 관점을 가지고 여성들의 치유를 위해 사회적 탈바꿈을 요구했다. 급진적 여성주의상담자인 에드나 롤링스(Rawlings, 1993)는 가장 중요한 도전이 여성주의상담에서 내적인 것과 외적인 것을 통합하는 능력이라고 했다. 급진적 여성주의에서는 여성 삶이 위치한 사회정치적 맥락에 초점을 맞추고 여성의 삶과 정신건강의 진보를 위해 사회변화를 주창하기 때문이다. 캐스책(kaschak, 1992)도 1980년대 여성주의상담자들은 정치적인 것이 아니라 개인적인 것에 초점을 맞추었는데, 이것은 전문가적 정당성과 이론의 깊이와 복잡성을 추구했기 때문이라고 했다.

또한 여성의 공통점에 초점을 맞춘 첫 번째 10년과 여성의 다양성에 초점을 맞춘 두 번째 10년을 통합할 필요가 있다고 했다. 브라운과 발로우(Brown and Ballou, 1992)는 인간 본성과 발달을 맥락적으로 이해하는 모델을 다른 학문(사회학, 경제학, 정치학 등)의 도움을 받아 여성주의심리학자들이 확장시킬 필요가 있다고 했다.

워렐과 데이먼 로빈슨(Worell and Robinson, 1993)은 여성주의상담의 핵심적 신념과 실천내용을 찾아 특유한 여성주의상담 정체성을 발달시켜야 한다고 했다. 여성주의상담에서 사례개념화를 어떻게 하고 총평과 진단을 어떻게 하는지를 연구할 필요가 있다고 했다. 올리바 에스핀(Espin, 1993)은 여성주의상담이 여성에게 영향을 미치는 사회정치적인 맥락을 보는 데 젠더 이외의 요인은 관심을 가지지 않았다고 하면서, 앞으로 인종, 계층, 민족성 등의 요인의 영향을 가시화할 필요가 있다고 했다. 그렇지 않으면 여성주의상담이 서구 중산층 백인 여성의 맥락을 벗어나기 어렵기 때문이다.

그리고 길버트와 로스먼(Gilbert and Rossman)은 첫 번째 10년은 사회의 진보적 분위기, 두 번째 10년은 사회의 보수적 분위기의 영향을 받았듯이, 세 번째 10년도 사회적 분위기의 영향을 받을 것이라고 예측했다.

### (2) 이론가들

두 번째 10년에 공헌한 이론가들로는 그린스펀, 레노어 워커와 린 브라보 로즈워터(Lenore Walker and Lynne Bravo Rosewater), 러먼이 있다.

**그린스펀**(Greenspan, 1995)은 여성주의상담은 문제는 모두 자신에게서 비롯된다는 신화, 정신병리학이 의학적 모델이 옳다는 신화, 전문가가 옳다는 신화에서 벗어나야 한다고 했다.

**워커와 로즈워터**(Walker and Rosewater, 1985)는 매 맞는 아내는 학습된 무력감을 보이는 것이고 외상 후 스트레스 장애를 가지는 것이므로, 여성주의상담을 통해 재학습할 수 있고 회복될 수 있다고 했다.

**러먼**(Lerman, 1986)은 여성주의상담을 위해서 여성주의 성격이론을 발달시켜야 한다고 했다.

### 3) 세 번째 10년(대략 1990년대)

세 번째 10년은 포터가 「위치, 위치, 위치: 상담에 대한 현대 여성주의 이론의 공헌(Location, location, location: Contributions of contemporary feminist theorists to therapy and practice)」(Porter, 2005)에서 정리했다.

#### (1) 내용

첫째, 여성주의상담자들은 여성의 삶을 이해하기 위해서 가부장제를 더 해체했다. 메리 발로우와 로라 브라운(Mary Ballou and Laura Brown)은 인격장애라는 진단명은 여성의 트라우마를 설명하지 못한다고 했고(Ballou and Brown, 1992), 워렐과 리머(Worell and Remer, 1992)는 심리적 총평과 진단에 성역할 고정관념이 작용한다고 했고, 보니 버스토(Bonnie Burstow)는 여성은 남성을 위한 몸으로 정의된다고 했다(Burstow, 1992). 캐스책(Kaschak, 1992), 캐스책과 힐(Kaschak, and Hill, 1999)은 젠더를 해체하고, 가족치료에서 젠더가 작용하는 방식을 해체하고, 젠더는 명사가 아니라 능동적이고 상호적이고 지속적으로 과정을 겪는 동사의 역할을 한다고 했다.

둘째, 여성주의상담자들은 단일한 실재가 없다는 인식을 하게 되었다. 하나의 '올바른' 여성주의이론이 없고, 하나의 '올바른' 여성에 대한 인식론적 입장이 없다고 생각하게 되었다. 그래서 맥락에, 여성 삶의 다양성에, 다중의 억압(인종, 민족성, 계층, 성적 지향)에 더 주의를 기울이게 되었다(Porter, 2005).

셋째, 가장 중요한 성취는 여성주의상담자들이 여성주의상담을 위한 새 모델을 찾게 되었다는 것이다. 여성들의 다중적인 실재들, 다중적인 경험들, 다중적인 역할들의 관계를 이해하는 것이 여성주의이론 수립에 중요하다는 것을 인식했다. 워렐과 리머(1992)는 역량 강화 모델을 만들고(『여성주의상담의 이론과 실제』를 볼 것), 버스토(1992)는 여성의 유대를 중심으로 역량 강화하는 작업을 했다. 캐스책(Kaschak, 1992)은 통합 모델을 만들고, 총평을 위한 '문제의 지도'를 제시했는데 그 내용은 다음과 같다.

① 다른 여성, 남성, 아이들과의 관계의 질과 중심성. 그 관계들은 얼마나, 어떤 방식으로 자아감과 자긍심을 결정하는가?
② 부모, 동료, 교사, 미디어, 다른 중요한 원천에 의해 부과된 제한에 대한 과거 경험과 현재 경험. 그리고 뚜렷한 침해(폭력, 근친 강간, 강간을 포함하는)에 대한 과거 경험과 현재 경험. 그리고 뚜렷한 침해 경험.
③ 외모와 그 중심성에 대한 자신의 평가.
④ 자세, 몸가짐, 걸음걸이, 표현, 근육조직, 움직임을 포함해 자신을 신체적으로 드러내는 방식. 특별 이슈를 다룰 때, 상담할 때 같은 상황에서 달라지는 방식.
⑤ 신체적으로 심리적으로 경험하는 파편화의 정도.
⑥ 일반적 상황, 특수 상황에서 자신이 가려진다는 감각 그리고 노출된다는 감각.
⑦ 식사/다이어트 전략.
⑧ 상실과 실망, 특히 가능성의 상실과 자아감의 상실.
⑨ 어머니에 대한 분노와 상실 그리고 개인적 아버지와 문화적 아버지들과의 얽혀 있음.

⑩ 막연한 [남성] 관찰자와의 동일시 정도.

⑪ 사건들과 자신이 통제할 수 없는 사람들에 대한 책임감의 정도.

⑫ 수치의 경험.

⑬ 자아감과 자긍심.

여성주의상담은 맥락주의와 사회적 구성주의를 중심에 두고 있으나, 상대주의는 아니다. 여성주의상담은 도덕적인 치료로서, 억압과 차별에 반대하는 입장을 취하고 도덕적인 판단을 하는 것이다.

(2) 이론가들

세 번째 10년에 공헌한 이론가들로는 발로우와 브라운, 워렐과 리머, 버스토, 캐스책이 있다.

**발로우와 브라운**(Ballou and Brown, 1992)은 인격장애라는 진단명은 여성의 트라우마를 설명하지 못한다고 했다.

**워렐과 리머**(Worell and Remer, 1992)는 심리적 총평과 진단에 성역할 고정관념이 작용한다고 지적하며, 역량 강화 모델을 만들었다.

**버스토**(Burstow, 1992)는 여성은 남성을 위한 몸으로 정의된다고 했다.

**캐스책과 힐**(Kaschak, 1992; Kaschak and Hill, 1999)은 젠더를 해체, 가족치료에서 젠더가 작용하는 방식을 해체했고, 젠더는 명사가 아니라 능동적이고 상호적이고 지속적으로 과정을 겪는 동사의 역할을 한다고 했다. 통합 모델을 만들고, 총평을 위한 "문제의 지도"를 제시했다.

미래를 향한 질문으로는 1960년대의 강렬한 정치적 격동 속에서 발생한 여성주의상담이 그 뿌리를 어떻게 지킬 것인가. 성역할 사회화가 상황적 스트레스 요인인데 어떻게 변화하고 있는가, 여성 상담전문가의 수가 증가했는데 여성주의상담에 어떤 영향을 미칠 것인가, 여성주의 생물학이 발달하는 데 여성주의상담에 어떻게 반영되어온 것인가 등이 있다 (Contratto and Rossier, 2005).

### 4) 네 번째 10년(대략 2000년대)

#### (1) 내용

네 번째 10년은 진행되고 있어, 아직 정리한 논문은 없다. FTI 대회에서 몇몇 여성주의상담자들이 네 번째 10년을 전망했다. 힐과 발로우는 「과거에서부터 미래를 향해(From the past toward the future)」(Hill and Ballou, 2005)에서 여성 경험에 가치 부여하기, 심리적 고통에 대한 사회문화적 기여 인식, 상담관계에서의 권력에 주의 기울이기, 젠더분석과 다른 억압요인 통합하기, 사회변화 창조를 우선시하기가 미래의 초석이라고 했다.

힐과 앤더슨(Hill and Anderson, 2005)은 권력, 억압과 관련된 사회문화적 문제들의 제거, 정서적 안녕을 가치롭게 여김, 상담자와 상담을 가치롭게 여김, 상담이 지역공동체에 통합됨, 상담자의 작업환경이 양육적이 됨을 여성주의상담의 전망으로 보았다.

메레디스 코헨과 발로우(Cohen and Ballou, 2005)는 대학 외에 여성주의상담연구소가 설립되어 여성주의상담자를 양성하는 것을 전망했다.

도르카스 리리아노(Liriano, 2005)는 지역사회에 여성주의적 사고를 적용하려면 자원의 이용가능성과 접근성의 증가, 인간의 다양성과 자기결정에 대한 진심에서 우러나온 가치 부여와 존중, 배려심이 있고 연민을 가진 지역사회 구성원, 개인적 연결감과 협력에 자리 잡은 가치의 증가, 정치적 역량 강화가 필요하다고 했다.

발로우(Ballou, 2005)는 여성주의상담은 분석과 행동을 통합하는 새 패러다임을 만들어야 한다고 전망했다. 인간의 다양성과 복잡성을 고려하고, 다중의 억압을 자각하고 반대하는 행동을 하고, 개인적인 경험을 정치적이고 인식론적인 지식을 주는 것으로서 가치 부여하는 새 패러다임을 만들어야 한다고 했다.

#### (2) 이론가들

네 번째 10년에 공헌하고 있는 이론가들로는 발로우·마쓰모토·와그너, 캐스책, 엔스가 있다.

**발로우와 마쓰모토와 바그너**(Ballou, Matsumoto and Wagner, 2002)는 여성주의적, 다문화적, 생태학적 새 패러다임을 만들었다.

**캐스책**(Kaschak, 2001)은 여성주의상담에서 영성을 말하기 시작했다.

**엔스**(Enns, 2004)는 자유주의적, 급진적, 문화적 여성주의뿐만 아니라 유색 여성, 다문화적, 초국가적, 포스트모더니즘적, 레즈비언/동성애, 제3 물결 여성주의의 여성주의상담에의 영향을 보여주고 있다.

## 3. 한국 여성주의상담의 역사

### 1) 첫 번째 10년(1983~1993)

#### (1) 내용

여성주의상담이 시작되고 시도된 10년이다. 미국 급진적인 여성운동에서처럼, 우리나라에서도 여성주의상담이 시작된 곳은 시민들의 후원으로 운영되는 여성인권운동단체였다. 매 맞는 아내 상담을 위해 1983년에 창립된 여성의전화가 여성주의상담의 시작이었다. 그 의미는 매 맞는 아내라는 새로운 내담자 집단을 가시화시켰다는 것과 그 사람들을 외면해온 사회를 고발했다는 것이다. 1991년에는 한국성폭력상담소가 창립되었다.

### (2) 이론가들

이 시기에는 몇몇 선구자들이 여성주의상담을 소개했다. 그리고 2편의 박사논문은 여성주의상담을 탄생시킨 모태가 되는 1960년대의 급진적 여성운동의 방법인 의식향상집단과 여성주의 집단상담의 결과에 대한 연구로 쓰였다.

권영자와 동료들이 1985년에 『여성상담의 실제』라는 책을 썼고, 최해림이 1989년에 「여성상담의 과정과 기법」이라는 논문을 썼다. 정소영은 1985년에 「의식향상집단이 여성의 양성공존성에 미친 효과에 관한 연구」라는 박사학위논문을, 박애선은 1993년에 「여성주의 집단상담이 여대생의 여성주의 정체성 발달 수준과 적응변인에 미치는 영향」이라는 박사학위논문을 썼다.

## 2) 두 번째 10년(1994~2004)

### (1) 내용

새롭게 등장한 여성내담자들을 지원하는 법이 제정되고 국가의 재정적 지원으로 전국적으로 많은 상담소가 설립된 시기이다. 여성주의상담이 법의 보호와 국가적 재정지원을 받은 기간이다. 1994년 「성폭력특별법」이 제정되고 난 이후 성폭력전문상담원이 양성되면서 성폭력상담소들이 설립되었고, 1997년 「가정폭력방지법」이 제정된 이후 가정폭력전문상담원이 양성되면서 가정폭력상담소가 설립되었으며, 2004년 「성매매방지법」이 제정된 이후 성매매전문상담원이 양성되면서 성매매 피해상담소가 설립되었다. 그 밖에 여성주의상담을 하는 기관으로는 여성긴급전화 1366과 의료, 상담, 법적 서비스를 한 곳에서 받는 원스톱(One-stop), 결혼이주여성상담센터, 여성장애우상담소가 있다. 1998년에는 한국여성상담센터(Korean Feminist Counseling Center)라는 운동단체가 아닌 여성주의상담소가 처음으로 설립되었다. 연구기관으로는 2002년 김민예숙 여성주의상담연구실(http://cafe.daum.net/femicounseling)이 시작되어 아카데미를 통해 여성주의상담을 교육하고 있다.

그리고 많은 연구자들이 여성주의상담의 개념과 원리들을 소개하고 상담에서 그 원리들을 적용했다.

### (2) 이론가들

이 시기의 시작과 끝에 여성주의상담의 중요한 저서인 그린스펀의 『우리 속에 숨어 있는 힘』과 워렐과 리머의 『여성주의상담의 이론과 실제』가 번역 출판되었다는 것은 우리나라에서 여성주의상담의 독자가 늘어간다는 것을 보여준다고 하겠다. 그리고 여성심리에 대한 관심도 보이기 시작했다.

한국여성의전화는 1994년 여성상담심포지엄 자료집을 출판했다. 그린스펀이 1983년에 쓴 『우리 속에 숨어 있는 힘』이 1995년에 번역되었다. 최선화가 1995년에 「여성심리와 여권주의 상담법」이라는 논문을, 최해림·김영희가 1996년에 「한국여성의 심리장애와 여성치료의 방향」이라는 논문을, 정소영이 1996년에 「의식향상(CR) 훈련: 여성상담의 집단적 접근」이라는 논문을, 장연집이 1996년에 「여성주의상담과 심리치료」라는 논문을 썼다. 김민예숙은 1997년에 「여성상담에 대한 대상관계이론의 접근」이라는 석사학위논문을, 정춘숙은 1997년에 「매 맞는 아내에 대한 여성주의 집단상담의 효과에 관한 연구」라는 석사학위논문을 썼다. 이혜성은 1997년에 「상담의 여성성과 여성 상담」이라는 논문을 썼고, 1998년에 『여성상담』을 출판했다. 김민예숙은 1998년에 「여성주의상담에 관한 소고」라는 논문을, 1999년에 「여성주의이론과 여성주의상담」이라는 논문을, 2000년에 「여성주의 슈퍼비전에 관한 소고」라는 논문을 썼다. 김영희는 1999년 「여성의 심리적 건강을 위한 의식향상훈련프로그램 개발 연구」라는 논문을, 이기숙은 1999년 「여성주의상담의 도입과 활용」이라는 논문을, 이기숙·윤경자는 2000년 「여성의식 향상을 위한 집단상담 프로그램에 대한 고찰」이라는 논문을 썼다. 김광은은 2000년 「여성주의상담원들의 여성의식」이라는 논문을, 장연집은 2000년 「여성주의 심리치료」라는 논문을, 박경은 2003년 「여성정신건강과 여성주의 치료의 방향」이라는 논문을 썼다. 강문순은 2003년 「여성주의 상담의 원리와 전망: 내담자와 상담자의 경험을 중심으로」이라는 석사학위논문을 썼다. 워렐과 리머가 2003년 쓴 『여성주의상담의 이론과 실제』가 2004년 번역 출판되었다. 유경희·김기중은 2004년 「여성주의 집단상담이 이혼(별거)여성의 심리적 적응에 미치는 효과」라는 논문을, 김민예숙·강문순은 2004년 「여성주의상담자 교육 모델에 관한 고찰」이라는 논문을 썼다.

3) 세 번째 10년(2005~)

(1) 내용

이 시기는 여성주의상담자 훈련이 비교적 체계적으로 시작된 시기이다. 역사는 20년이 넘었지만, 우리나라에서는 여성주의상담이 대학에서 교과목을 통해 교육되는 경우가 드물어서, 체계적으로 교육을 받고 싶어도 받기가 어려웠다. 가정폭력전문상담원교육과 성폭력전문상담원교육 중 세 시간 정도 강의되는 것이 전부였다. 그러다가 2005년부터 3년에 걸쳐 김민예숙과 서울여성의전화가 "여성주의상담 전문가 양성교육"을 처음으로 시도했다. 이것은 김민예숙·강문순의 「여성주의상담자 교육 모델에 관한 고찰」에 근거한 교육이었고, 김민예숙이 2007년에 쓴 「여성주의상담 전문가 교육 3년에 대한 성찰」에서 분석되고 있다. 이어서 2008년 김민예숙여성주의상담연구실은 인천에서 "여성주의상담 전문가

양성교육"을 진행했다.

### (2) 이론가들

2005년에는 김민예숙과 서울여성의전화가 『왜 여성주의상담인가』를 출판했다. 이 책은 우리나라의 경험을 바탕으로 여성주의상담의 이론과 실제를 다룬 첫 저서라는 점에서 의미가 크다. 그리고 해리엇 골드허 러너가 1988년에 쓴 『여성심리치료』가 2006년 번역 출판되었다.

## 4. 결론

역사의 연구는 미국과 한국이 여성주의상담을 발전시켜가고 있는 모습을 보여주고 있다. 미국 여성주의 역사 40년을 총괄해보면 가부장제가 부정해온 여성이라는 집단에 대한 긍정에서 출발해 백인 중산층 여성 삶을 넘어 여성 삶의 다양성과 다중의 억압(인종, 민족성, 계층, 성적 지향)에 주의를 기울이는 방향으로 가고 있다. 한국의 역사 30년을 총괄해보면, 미국에서 생산된 여성주의상담을 소개하는 것에서 출발해, 활동가 여성주의상담자 배출을 거쳐 전문가 여성주의상담자를 위한 체계적인 훈련의 방향으로 가고 있다.

## 여성주의상담 원리의 역사에 관한 연구 (2010년)

1. 연구문제

여성주의상담에서 원리는 여성주의상담을 그것답게 만드는 것이다. 원리에 맞게 상담할 때만 여성주의상담을 한다고 할 수 있기 때문이다. 그런데 원리는 여성주의상담이 시작된 1970년부터 지금까지 여성주의상담자에 따라 조금씩 다르게 제시되고 있다. 최초의 원리는 길버트(Gilbert, 1980)에 의해 두 가지로 제시되었으나, 가장 최근에는 발로우, 마쓰모토, 와그너(Ballou, Matsumoto, and Wagner, 2002)에 의해 다섯 가지로 제시되고 있다. 이 글에서는 그 역사를 탐색해 변함없는 원리가 무엇인지를 알아보고자 한다.

2. 방법

여성주의상담의 원리를 제시한 여성주의상담자들의 문헌을 연대순으로 고찰할 것이다. 원리를 제시한 문헌으로는 길버트(Gilbert, 1980), 그린스펀(Greenspan, 1995), 버틀러(Butler, 1985), 워렐·리머(Worell and Remer, 1992), 엔스(Enns, 1997), 브래벡과 브라운(Braebeck and Brown, 1997), 와이키와 라이스(Wyche and Rice, 1997), 발로우, 마쓰모토, 와그너(Ballou, Matsumoto, and Wagner, 2002)가 있다. 그들이 제시한 원리를 알아보고, 공통된 원리들이 무엇인지를 알아볼 것이다.

## 3. 원리들

### 1) 길버트

길버트(Gillvert, 1980)는 두 가지 원리를 제시한다. 첫째 '원리는 개인적인 것은 정치적인 것이다'이고, 둘째 원리는 '상담자와 내담자의 관계는 평등하다'이다. 두 원리는 하부의 원리들을 갖고 있다. 첫째 원리에는 네 가지 하부원리가 있다. ① 내적인 것과 외적인 것을 분리한다, ② 여성의 경험에 가치를 부여한다, ③ 상담자의 가치와 태도를 탐색한다, ④ '적응'보다는 변화를 강조한다. 둘째 원리에는 다섯 가지 하부원리가 있다. ① 상담자를 물색한다, ② 개인적 권력감을 강화시킨다, ③ 자기양육을 격려한다, ④ 상담자가 모델링을 한다, ⑤ 분노를 표현한다.

### 2) 그린스펀

그린스펀(Greenspan, 1983)은 전통 치료의 세 가지 신화를 비판하며 여성주의상담의 원리를 도출한다. 첫째 신화는 '문제는 모두 자신에게서 비롯된다'로서 여성주의상담의 원리는 문제는 환경과의 상호작용에서 비롯된다가 된다. 둘째 신화는 '증상을 정신병리학의 의학적 모델로 본다'로서 여성주의상담의 원리는 증상을 건강치 못한 사회심리적 상황에 적응하는 것이나 대응하는 무의식적 시도로 본다가 된다. 셋째 신화는 '전문가가 따로 있다'는 것으로서 여성주의상담의 원리는 내담자 여성을 자신의 문제의 전문가로 본다가 된다.

### 3) 버틀러

버틀러(Butler, 1985)는 폰디, 헤이, 킨케이드와 오코넬(Fondi, Hay, Kincaid, and O'Connell, 1977)이 만든 출판되지 않은 여덟 가지 가이드라인을 제시한다. 가이드라인 첫째는 여성이 사는 성차별적 사회의 해로운 영향을 인식한다, 둘째는 사회가 처방하는 여성 역할의 내재적 모순을 탐색한다, 셋째는 심리교육적 모델을 사용해 내담자를 학습자로 보고 여성의 양육하고 치유하는 내적 자원을 탐색한다, 넷째는 비성차별적인 개념틀을 사용한다, 다섯째는 상담관계에 내재하는 권력을 탈신비화한다. 여섯째는 여성상담자와 여성내담자의 관계를 지지한다, 일곱째는 여성주의상담자는 자신의 상담을 계속 평가하고, 저소득여성에게는 다른 규정을 만들고, 상담접근과 관련 있는 생활스타일이나 가치를 검토하고, 여성주의의 목표와 철학과 동일시하고, 상담의 맹점이 될 수 있는 인종, 계층, 성적 선호에 대해 검토한다, 여덟째는 상담만으로 충분한 것이 아니라는 것을 인정하고 내담자에게 성장과 지지를 위한 다른 길을 찾도록 격려한다.

### 4) 워렐과 리머

워렐과 리머(1992)는 세 가지 원리를 제시한다. 첫째 원리는 개인적인 것은 정치적인 것이다이고, 둘째 원리는 상담자와 내담자의 관계는 평등하다이고, 셋째 원리는 여성의 시각을 존중한다이다. 세 원리는 하부의 원리들을 갖고 있는데, 첫째 원리에는 세 가지 하부원리가 있다. ① 내적인 것과 외적인 것을 분리한다, ② 병리를 재구성한다, ③ 사회적 변화를 주도한다. 둘째 원리에는 세 가지 하부원리가 있다. ① 내담자를 역량 강화한다, ② 권력의 균형을 잡는다, ③ 여성을 긍정한다. 셋째 원리에는 두 가지 하부원리가 있다. ① 여성에게 가치를 부여한다, ② 여성에게 가치를 부여해 여성 간의 관계의 가치를 인정하고 여성 스스로 자기양육을 하게 하고 여성내담자를 자신의 문제의 전문가로 본다.

### 5) 엔스

엔스(Enns, 1997)는 문제를 이해하는 원리 두 가지, 상담관계에 대한 원리 네 가지, 상담목표와 결과에 대한 원리 여섯 가지를 제시한다. 문제를 이해하는 원리 중 첫째 원리는 개인적인 것은 정치적인 것이다, 둘째 원리는 증상을 소통이나 적응 도구로 본다이다. 상담관계에 대한 원리 네 가지 중 첫째 원리는 여성주의상담자는 가치관을 가지고 있다, 둘째 원리는 내담자는 유능하다, 셋째 원리는 상담자와 내담자의 관계는 평등하다, 넷째 원리는 내담자와 계약을 하고 정보에 대한 동의를 얻는다이다. 상담목표와 결과에 대한 원리 여섯 가지 중 첫째 원리는 상담의 목표는 적응이 아니라 변화이다, 둘째 원리는 평등을 지향한다, 셋째 원리는 수행성과 친교성의 균형을 잡는다, 넷째 원리는 내담자를 역량 강화한다, 다섯째 원리는 자기양육을 한다, 여섯째 원리는 여성의 다양한 경험을 존중한다이다.

### 6) 브래벡과 브라운

브래벡과 브라운(Braebeck and Brown, 1997)은 원리 여덟 가지를 제시한다. 첫째 원리는 상담목표는 사회적 변화이다, 둘째 원리는 여성주의 의식을 발달시키는 것이 상담목표이다, 셋째 원리는 여성주의이론은 경험에서 나온다, 넷째 원리는 젠더의 권력 불균형을 바로잡는다, 다섯째 원리는 다양성을 존중한다, 여섯째 원리는 억압된 사람들의 목소리에 권위를 부여한다, 일곱째 원리는 여성주의이론은 정체성의 확대와 다중의 주체성으로 이끈다, 여덟째 원리는 심리적 불편에 대한 이해를 재구성한다이다.

### 7) 와이키와 라이스

와이키와 라이스(Wyche and Rice, 1997)는 원리 세 가지를 제시한다. 첫째 원리는 젠더를 중심으로 보는 것에서 다양성으로 확장된다, 둘째 원리는 사회문화적이고 심리외적 관점을 가진다, 셋째 원리는 역량 강화와 계몽이 상담목표이다이다.

### 8) 발로우·마쓰모토·와그너

발로우·마쓰모토·와그너(2002)는 원리 다섯 가지를 제시한다. 첫째 원리는 여성의 경험에 가치를 부여한다, 둘째 원리는 심리적 불편은 사회문화적 뿌리를 가진다, 셋째 원리는 대인관계와 더 큰 체계에서의 권력에 관심을 가진다, 넷째 원리는 억압이 젠더와 인종, 민족성, 계층, 성적 지향, 연령, 종교, 장애 여부, 지역적 위치라는 다른 요인들과 교차되는 것을 분석한다, 다섯째 원리는 사회적 변화를 추구한다이다.

## 4. 공통점

첫째, 여덟 여성주의상담자 모두 여성내담자의 문제 이해를 사회적 맥락에서 할 것을 제시한다. 길버트의 첫째 원리인 개인적인 것은 정치적인 것이다와 그 하부원리인 내적인 것과 외적인 것을 분리한다, 그린스펀의 첫째 신화를 비판한 여성주의상담의 원리인 문제는 환경과의 상호작용에서 비롯된다, 버틀러의 첫째 가이드라인인 여성이 사는 성차별적 사회의 해로운 영향을 인식한다, 워렐과 리머의 첫째 원리인 개인적인 것은 정치적인 것이다와 그 하부원리인 내적인 것과 외적인 것을 분리한다, 엔스의 문제를 이해하는 원리 중 첫째 원리인 개인적인 것은 정치적인 것이다, 브래벡과 브라운의 여덟째 원리인 심리적 불편에 대한 이해를 재구성한다, 와이키와 라이스의 둘째 원리인 사회문화적이고 심리외적 관점을 가진다, 발로우·마쓰모토·와그너는 둘째 원리인 심리적 불편은 사회문화적 뿌리를 가진다는 모두 여성주의상담자가 내담자의 문제를 어떻게 이해하는가에 관한 것이다. 개인적인 것은 정치적인 것이다라는 문구로 가장 많이 표현되는 이 원리는 20년 동안 변하지 않고 제안된 것이다.

기존심리치료에서 내담자의 문제를 심리내적인 요소들만 분석해온 이해를 재구성해, 내담자의 심리내적인 것과 그것에 영향을 미친 심리외적인 사회문화적인 것을 구별하고 내담자가 증상을 보일 때 그것을 건강하지 못한 사회심리적 상황에 적응하는 것이나 대응하는 무의식적 시도로 보거나(Greenspan) 소통이나 적응 도구로 보자(Enns)는 것이고, 사회가 처방하는 여성 역할의 내재적 모순을 탐색하자(Butler)는 것이다. 또한 그 이해를 개념화할 때는 비성차별적인 개념틀을 사용해야 한다(Butler)는 것이다.

둘째, 다섯 여성주의상담자가 상담관계의 평등성을 지향할 것을 제시한다. 길버트의 둘째 원리인 상담자와 내담자의 관계는 평등하다, 그린스펀의 셋째 신화를 비판한 여성주의상담의 원리인 내담자여성을 자신의 문제의 전문가로 본다, 버틀러의 다섯째 가이드라인인 상담관계에 내재하는 권력을 탈신비화한다, 워렐과 리머의 둘째 원리인 상담자와 내담자의 관계는 평등하다, 엔스의 상담관계에 대한 원리 중 셋째 원리인 상담자와 내담자의 관계는 평등하다가 상담관계의 평등성을 제안한다. 성의 불평등과 성차별을 비판하며 등장한 여성주의상담이기에 상담실 밖 사회에서의 평등뿐 아니라 상담관계의 평등도 중요하게 여기는 것이다.

도움을 줄 수 있는 상담자와 도움이 필요한 내담자 사이에 있는 불평등을 줄여가며 상담관계가 평등을 지향하려면 상담자가 내담자를 향해 하는 노력과 상담자 자신을 향한 노력이 모두 필요하다. 상담자가 내담자를 향해 할 수 있는 노력은 다음과 같다. 내담자가 상담자를 물색할 수 있어야 하고(Gilbert), 상담자는 저소득여성인 내담자에게는 다른 규정을 만들어야(Butler) 하고, 상담자는 내담자를 유능하게 봐야 하고, 내담자와 계약을 하면서 정보를 주고 동의를 얻어야(Enns) 한다는 것이다.

상담자 자신을 향한 노력은 다음과 같다. 내담자에게 권력을 남용하거나 오용하지 않기 위해서 상담자는 상담자의 가치와 태도를 탐색하고 (Gilbert), 상담자는 자신의 상담을 계속 평가하고, 상담접근과 관련 있는 생활스타일이나 가치를 검토하고, 여성주의의 목표와 철학과 동일시하고, 상담의 맹점이 될 수 있는 인종, 계층, 성적 선호에 대해 검토해야 (Butler) 한다는 것이다.

셋째, 일곱 여성주의상담자가 상담목표로 개인의 변화와 역량 강화를 제시하고 있다. 길버트의 첫째 원리의 하부원리인 '적응'보다는 변화를 강조한다. 둘째 원리의 하부원리인 개인적 권력감을 강화시킨다, 자기양육을 격려한다, 버틀러의 여덟째 가이드라인인 상담만으로 충분한 것이 아니라는 것을 인정하고 내담자에게 성장과 지지를 위한 다른 길을 찾도록 격려한다, 워렐과 리머의 둘째 원리의 하부원리인 내담자를 역량 강화한다와 권력의 균형을 잡는다, 엔스의 상담목표와 결과에 대한 원리 여섯 가지 중 다섯 가지인 적응이 아니라 변화이다, 평등을 지향한다, 수행성과 친교성의 균형을 잡는다, 내담자를 역량 강화한다, 자기양육을 한다, 브래벡과 브라운의 둘째 원리인 여성주의 의식을 발달시키는 것, 넷째 원리인 젠더의 권력 불균형을 바로잡는다, 여섯째 원리인 억압된 사람들의 목소리에 권위를 부여한다, 일곱째 원리인 여성주의이론은 정체성의 확대와 다중의 주체성으로 이끈다, 와이키와 라이스(Wyche and Rice, 1997) 셋째 원리인 역량 강화와 계몽, 발로우·마쓰모토·와그너 (Ballou, Matsumoto, and Wagner, 2002)의 셋째 원리인 대인관계와 더 큰 체계에서의 권력에 관심을 가진다가 상담목표로 제안된 것이다. 상담목표는 내담자가 여성주의상담을 통해 무엇을 달성해야 하는가를 제안하는 것이다. 내담자가 이러한 목표를 달성하게 돕는 능력이 여성주의상담자가 필요로 하는 전문성이다.

세 명의 여성주의상담자는 상담목표로 사회적 변화를 제시하고 있다 (Worell and Remer, Braebeck and Brown, Ballou, Matsumoto, and Wagner).

넷째, 세 명의 여성주의상담자가 여성의 경험에 가치 부여할 것을 제시한다. 길버트의 첫째 원리의 하부원리인 여성의 경험에 가치를 부여한다, 워렐과 리머의 셋째 원리인 여성의 시각을 존중한다와 그 하부원리인 여성에게 가치를 부여한다, 발로우·마쓰모토·와그너의 첫째 원리인 여성의 경험에 가치를 부여한다로 가부장제 사회가 부정해온 여성의 목소리를 수용하고 존중할 것을 제안하고 있다.

그것과 연결되어 여성상담자와 여성내담자의 관계를 지지(Butler)하고, 여성에게 가치를 부여해 여성 간의 관계의 가치를 인정(Worell and Remer)하자는 제안도 한다.

또한 네 명의 여성주의상담자가 여성 경험의 다양성을 존중할 것을 제시한다. 엔스의 상담목표와 결과에 대한 원리 중 여섯째 원리인 여성의 다양한 경험을 존중한다, 브래백과 브라운의 다섯째 원리인 다양성을 존중한다, 와이키와 라이스의 첫째 원리인 젠더를 중심으로 보는 것에서 다양성으로 확장된다, 발로우·마쓰모토·와그너의 넷째 원리인 억압이 젠더와 인종, 민족성, 계층, 성적 지향, 연령, 종교, 장애 여부, 지역적 위치라는 다른 요인들과 교차되는 것을 분석한다로 내담자의 젠더 경험 이외의 다른 경험들도 폭넓게 이해되고 존중되어야 한다는 것을 제안한다. 내담자의 삶에 영향을 미치는 사회적 정체성으로 젠더 이외의 것들이 있으므로, 상담자가 그 요인들에 관심을 가져야 한다는 것이다.

다섯째, 상담방법에 대한 제시도 있다. 상담자가 모델링을 한다와 분노를 표현한다(Gilbert), 심리교육적 모델을 사용해 내담자를 학습자로 보고 여성의 양육하고 치유하는 내적 자원을 탐색한다(Butler)가 그것이다. 길버트가 1980년 분노표현의 중요성을 말한 후 그린스펀(1995)은 우리 속에 숨어 있는 힘에서 내면화된 분노 표현하기를 다루고, 러너(1995)는 『무엇이 여성을 분노하게 하는가』라는 책을 써서 분노표현을 다루고 있다. 그러나 현재 여성주의상담에서 분노표현을 주요한 방법으로 여기지 않는다. 20년이 지난 후 그린스펀(2008)도 "슬픔, 두려움, 절망을 통해 감사, 기쁨, 믿음으로 나아가는 치유의 과정을 담은" 『감정공부』라는 책을 써서 치유에 대한 이야기를 하고 있다.

## 5. 논의

20년간 제시된 여성주의상담 원리를 공통점을 중심으로 분류해본다면 전부 또는 반수 이상이 제시한 내담자의 문제를 맥락적으로 이해하자는 것, 상담관계에서 평등을 지향하자는 것, 변화와 내담자의 역량 강화를 상담목표로 하자는 원리는 앞으로도 계속 사용될 원리일 것이다. 이것은 상담이 "도움을 필요로 하는 사람(내담자)이, 전문적 훈련을 받은 사람(상담자)과의 대면 관계에서, 생활 과제의 해결과 사고·행동 및 감정 측면의 인간적 성장을 위해 노력하는 학습 과정이다"라고 정의(이장호, 1982)되고 있는 것에 비추어볼 때, 정의에서 언급되는 상담관계와 목표와 일치하는 원리가 제시되어왔음을 알 수 있다. 그런데 평등을 지향하는 여성주의상담에 맞게 평등한 상담관계와 내담자를 역량 강화하는 목표로 제시되었다는 특징이 있다.

그 외에도 전부가 일치해 제시한 원리가 내담자의 문제를 맥락적으로 이해하자는 원리인 이유는 그것이 여성주의상담의 존재 이유와 일맥상통하기 때문이다. 여성주의상담이든 아니든 상담에는 상담관계와 목표가 있다. 그러나 어떤 관점에서 내담자를 이해하느냐는 접근마다 다르다. "여성상담의 출발은 기존의 상담이론이 가부장적 기준을 적용해 여성을 진단하고 차별적 사회구조에 적응하도록 요구하면서 여성의 진정한 자기발견이나 잠재력 개발에 한계를 갖는다는 데에서 비롯된다"(이규미, 1996)고 설명되듯이, 여성주의상담에서는 성차별사회의 영향을 이해하는 것이 내담자 이해에 중요한 요소로 여기는 것이다. 따라서 이 원리도 앞으로도 계속 사용되어야 할 원리라고 하겠다.

그것보다는 소수이지만 여성의 경험과 여성의 다양한 경험을 가치 있게 여기고 존중해야 한다는 원리가 제시된 이유도 성차별사회의 영향과 연결된다. 러먼(Lerman, 1986)이 여성주의 성격이론의 8가지 기준으로 제시한 것 중 세 번째 기준이 여성을 긍정적으로 보라는 것이었듯이, 성차별사회는 여성을 부정적인 존재나 결핍된 존재로 보았던 것이다. 여성주의상담의 정의는 "여성주의 철학의 관점에 입각해 여성 및 사회적 소수자의 변화를 조력하는 상담"(김민예숙, 2010b)이다. 여성의 변화를 조력하려면 여성의 경험을 가치 있게 여길 때만 가능하다. 그러므로 이 원리도 앞으로도 계속 사용되어야 할 원리라고 하겠다.

여성주의상담 원리역사를 탐색해 변함없는 원리가 무엇인지를 알아보고자 한 이 논문의 결론은 다음의 네 가지 원리이다. 첫째 원리는 내담자의 문제를 맥락적으로 이해한다. 둘째 원리는 상담관계에서 평등을 지향한다. 셋째 원리는 변화와 내담자의 역량 강화를 상담목표로 한다. 넷째 원리는 여성의 경험과 여성의 다양한 경험을 가치 있게 여기고 존중한다. 이것은 여성주의상담에 맞게 내담자를 이해하고, 내담자와 관계하고, 상담목표를 정하고 달성하고, 여성의 경험을 존중해야 여성주의상담을 하는 것이 된다는 의미이다.

# 참고문헌


강문순. 2003.「여성주의상담의 원리와 전망: 내담자와 상담자의 경험을 중심으로」. 계명대 여성학 대학원 석사학위 논문.

구본용. 1995.「전화상담의 과정과 절차: 문제 해결 중심의 접근」. 청소년대화의 광장. ≪청소년상담연구≫, 3, 146~162쪽.

권영자 외. 1985.『여성상담의 실제』. 한국여성개발원.

그린스펀, 미리암. 1995.『우리 속에 숨어 있는 힘』. 고석주 옮김. 또 하나의 문화.

_____. 2008.『감정공부: 슬픔, 절망, 두려움에서 배우는 치유의 심리학』. 이종복 옮김. 뜰.

길리건, 캐럴. 1994.『다른 목소리로』. 허란주 옮김. 철학과 현실사.

_____. 1997.『교차로에서의 만남』. 김아영 옮김. 이대 출판부.

_____. 2004.『기쁨의 탄생』. 박상은 옮김. 빗살무늬.

김광은. 2000.「여성주의상담원들의 여성의식」, ≪한국심리학회지: 여성≫, 제5권 1호.

김민예숙 외. 2005.『왜 여성주의상담인가』. 한울.

_____. 1997.「여성상담에 대한 대상관계 이론의 접근」. 이화여자대학교 대학원 석사학위 논문.

_____. 1998.「여성주의상담에 관한 소고」. ≪춘해보건대학교 논문집≫. 10, 7~18쪽.

_____. 1999a.「여성주의상담의 이론과 실제」.『상담길라잡이』. 부산광역시.

_____. 1999b.「여성주의이론과 여성주의상담」. ≪춘해보건대학교 논문집≫. 11, 353~361쪽.

_____. 2000.「여성주의 슈퍼비전에 관한 소고」. ≪춘해보건대학교 논문집≫. 12, 35~44쪽.

_____. 2003.「수행성과 친교성의 측면에서 여성의 정신건강에 관한 연구」. ≪춘해보건대학교 논문집≫ 5, 419~428쪽.

_____. 2005.「여성주의상담의 인간 이해」.『여성주의상담 전문가 양성교육 자료집』. 서울여성의 전화.

_____. 2006.「여성주의상담의 원리들에 관한 이해」.『여성주의상담 전문가 심화교육 자료집』. 서울여성의전화.

_____. 2007.「여성주의상담의 원리, 기법, 그리고 여성심리」.『여성주의상담 전문가 고급교육 자료집』. 서울여성의전화.

_____. 2010a.「여성주의상담 원리의 역사에 관한 연구」. ≪춘해보건대학교 논문집≫, 22, 1~9쪽.

_____. 2010b.「여성주의상담의 개념과 역사」. 여성주의상담 강좌 자료집. 김민예숙여성주의상담 연구실.

_____. 2011.「미국과 한국의 여성주의 역사 비교 분석」. ≪한국심리학회지: 여성≫, 16, 197~218쪽.

김민예숙·강문순. 2004.「여성주의상담자 교육 모델에 관한 고찰」, ≪한국심리학회지: 여성≫. 9(3), 1~25쪽.
김영희. 1999.「여성의 심리적 건강을 위한 의식향상훈련프로그램 개발 연구」. ≪경기교육논총≫, 제8집, 경기대학교 교육대학원.
러너, 해리엇 골드허. 1995.『무엇이 여성을 분노하게 하는가』. 김태련·이명선 옮김. 이대 출판부.
_____. 2006.『여성심리치료』. 한인영·박영희 옮김, 하나의학사
레드래이, 린다. 1995.『나의 몸 나의 길; 성폭력의 예방과 극복』. 김수경 옮김. 이화여자대학교 출판부.
레아주, 폴린. 1992.『O의 이야기』. 성귀수 옮김. 문학세계사.
밀러, 진 베이커. 1988.『새로운 여성심리학을 향하여』. 김경순·안상님 옮김. 한국기독교가정생활사.
박경. 2003.「여성정신건강과 여성주의 치료의 방향」. ≪한국여성학≫, 19(3), 215~244쪽.
박애선. 1993.「여성주의 집단상담이 여대생의 여성주의 정체성발달 수준과 적응변인에 미치는 영향」. 숙명여자대학교 박사학위논문.
박애선·이영희. 1994.「여성주의 집단상담이 여대생의 여성주의 정체성발달 수준과 적응변인에 미치는 영향」. ≪한국심리학회지: 일반≫.
백선욱. 1985.「여성상담에서의 새로운 접근을 위한 일 연구」. 이화여자대학교 학생생활지도연구소.『학생생활연구』, 21, 17~32쪽.
베스, 엘렌·로라 데이비스. 2000.『아주 특별한 용기: 피해자와 가족, 상담자를 위한 안내서』. 이경미 옮김. 동녘.
볼린, 시노다. 1992.『우리 속에 있는 여신들』. 조주현·조명덕 옮김. 또하나의 문화.
사드, 마르키 드. 2012.『소돔의 120일』. 김문운 옮김. 동서문화사.
사르트르, 장 폴. 1997.『존재와 무』. 손우성 옮김. 삼성출판사.
설혜심. 2011.『역사, 어떻게 볼 것인가』. 도서출판 길.
엔스, 케럴린 저브. 2009.『여성주의와 상담』. 김민예숙·손연주 옮김. 한울.
≪여성신문≫. 2004.10.29. "한국사회를 변화시킨 여성리더들 〈9〉".
워렐, 주디스·파멜라 리머. 2004.『여성주의상담의 이론과 실제』. 김민예숙·강김문순 옮김. 한울.
유경희·김기중. 2004.「여성주의 집단상담이 이혼(별거)여성의 심리적 적응에 미치는 효과」. ≪한국심리학회지: 여성≫, 9(1), 103~120쪽.
융, 엠마. 1995.『아니무스와 아니마』. 박해순 옮김. 동문선.
이규미. 1996.「여성상담의 특징과 여성상담자의 전문적 자질」. 한국여성심리연구회. ≪한국여성심리연구회지≫, 1, 128~138쪽.
이기숙. 1999. "여성주의상담의 도입과 활용", 부산 시청 토론회.
이기숙·윤경자. 2000.「여성의식 향상을 위한 집단상담 프로그램에 대한 고찰」. ≪여성연구논집≫, 제1집, 신라대학교 여성문제연구소.
이영희. 1985.「여성상담의 기초개념」.『여성상담의 실제』. 서울: 한국여성개발원.

이원숙. 2003. 『성폭력과 상담』. 학지사.
이은순. 1987. 「여성상담과 여대생문제」. 이화여자대학교 학생생활지도연구소. 『학생생활연구』, 23, 39~59쪽.
이혜성. 1997. 「상담의 여성성과 여성 상담」. ≪한국심리학회지: 여성≫, 제2권 제1호.
_____. 1998. 『여성상담』. 도서출판 정일.
장연집. 1996. 「여성주의상담과 심리치료」. ≪여성연구논총≫, 제11집, 서울여자대학교 여성연구소.
_____. 2000. 「여성주의 심리치료」. ≪여성건강≫, 1(1), 13~29쪽.
정소영. 1985. 「의식향상집단이 여성의 양성공존성에 미친 효과에 관한 연구」. 연세대학교 교육학과 박사학위논문.
_____. 1996. 「의식향상(CR) 훈련: 여성상담의 집단적 접근」. ≪신학과 종교≫, 제21집, 서울신학대학교.
정춘숙. 1997. 「매 맞는 아내에 대한 여성주의 집단상담의 효과에 관한 연구」. 중앙대학교 사회개발대학원 사회복지학과 석사학위논문.
정희진 외. 2003. 『성폭력을 다시 쓴다: 객관성, 여성운동, 인권』. 한울.
제임스, 윌리엄. 2005. 『심리학의 원리』. 정양은 옮김. 아카넷.
조지, 리키·테레세 스트라이드 크리스티아니. 1985. 『상담과 심리치료: 이론·방법·과정』 김충기·이재창 옮김. 교육과학사.
채규만. 2003. 『성피해 심리치료』. 학지사.
초도로, 낸시. 2008. 『모성의 재생산』. 김민예숙, 강문순 옮김. 서울대상관계정신분석연구소.
최선화. 1995. 「여성심리와 여권주의 상담법」. ≪부산여자대학교 여성연구논집≫, 제6집, 부산여자대학교 여성문제연구소.
최해림. 1989. 「여성상담의 과정 및 기술」. 서강대학교 생활상담실. ≪인간이해≫, 10, 42~57쪽.
최해림·김영희. 1996. 「한국여성의 심리장애와 여성치료의 방향」. ≪한국심리학회지: 상담 및 심리치료≫, 8(1), 153~167쪽.
크리스테바, 줄리아. 2006. 『정신병, 모친살해, 그리고 창조성: 멜라니 클라인』. 박선영 옮김. 아난케.
타브리스, 캐롤. 1992/1999. 『여성과 남성이 다르지도 똑같지도 않은 이유』. 히스테리아 옮김. 도서출판 또 하나의 문화.
프리단, 베티. 1996. 『여성의 신비』. 김행자 옮김. 평민사.
한국 상담심리 및 심리치료학회 상담사례연구위원회 회원용 토론과제.
한국여성개발원. 1985. 『여성상담의 실제』. 서울: 한국여성개발원.
한국여성연구소. 1999. 『새 여성학강의』. 동녘.
한국여성의전화. 1994. 『여성상담심포지움』. 한국여성의전화.
호나이, 카렌. 1982. 『여성심리학』. 이근후·이동원 옮김. 이대 출판부.
홍상희. 2013. 「국내 여성주의상담 연구의 동향과 과제」. 미발표 논문.

Bakan, D. 1966. *The duality of human existence*. Chicago: Rabd McNally.

Ballou, M, and L, S. Brown. 2002. *Rethinking: Mental health anddisorder*. NY: The Guilford Press.

Ballou, M., A. Matsumoto, and M. Wagner. 2002. "toward a feminist ecological theory of human nature: Theory building in response to real-world dynamics." In M. Ballou and L. S. Brown(eds.). *Rethinking mental health and disorder: Feminist perspectives*. NY: The Guilford Press, pp.99~114.

Ballou, Mary. 2005. "Threats and Challenges to Feminist Therapy." *Women and Therapy*. NY: the Haworth Press, Inc. pp.201~210.

Benjamin, Jessica. 1983. "Master and Slave: The Fantasy of Erotic Domination," in Ann Snitow, Christine Stansell, and Sharon Thompson(eds.). *Powers of Desire: The Politics of Sexuality*. New York: Monthly Review Press.

______. 1990. "The alienation of desire: Women's masochism and ideal love." In C. Zanardi(ed.). *Essential Papers on the Psychology of Women*. NY: New York University Press, pp.455~479.

Braebeck, M and L. Brown. 1997. "Feminist theory and psychological practice." In J. Worell and N. G. Johnson(eds.). *Shaping the future of feministpsychology: Education, research, andpractice*. Washington, D.C.: APA, pp.15~35.

Broverman, I. K., D. M. Broverman, F. Clarkson, P. Rosenkrantz, and S. Vogel, 1970. "Sex-role stereotyping and clinical judgments of mental health." *Journal of Consulting and Clinical Psychology*, 45, pp.250~256.

Brown, L. 2010. *Feminist Therapy*. Washington, DC: APA.

Brown, L. S. 1992. "A feminist critique of the personality disorders." In L. S. Brown and M. Ballou (eds.). *Personality and psychopathology: Feminist reappraisals*. NY: Guilford, pp.206~228.

Brown, L. S. and M. Ballou(eds.). 1992. *Personality and psychopathologyy: Feminist reappraisals*. NY: Guilford, pp.206~228.

Burstow, B. 1992. *Radical feminist therapy: working in the context of violence*. NY: Sage.

Butler, M. 1985. "Guidelines for feminist therapy." In L. B. rosewater and L. E. A.Walker(eds.). *Handbook of feminist therapy: women's issues in psychotherapy*. NY: springer Publishing company.

Caplan, P. J. 1991. "Delusional dominating personality disorder(DDPD)." *Feminism and Psychology*, 1, pp.171~174.

Chaplin, Jocelyn. 1988. *Feminist Counseling in Action*. London: SAGE Publication.

Chodorow, Nancy. 1978. *The reproduction of mothering: Psychoanalysis and the sociology of gender*. Berkeley: University of Californis Press.

Cohen, Meredith M. and Mary Ballou. 2005. "Visions and Aspiration: Feminist therapy and the Academy." *Women and Therapy*, Vol.28, No.3-4.

Contratto, S. and J. Rossier. 2005. "Early trends in feminist therapy theory aand practice." *Women andTherapy*, 28, 3-4.

Downing, M. A. and K. L. Roush. 1985. "From passive acceptance to active commitment: a model of feminist identity development." *The Counseling Psychologist*, 13. pp.695~709.

Edwards, D. 1993. "Guidelines for Conducting Clinical andPhenomenological Case Studies." (Unpublished manuscript)

Enns, Carolyn Zerbe. 1993. "Twenty years of feminist counseling and therapy: From naming biases to implementing multifaceted practice." *The Counseling Psychologist*, Vol.21, No.1, pp.3~87.

_____. 1997. *Feminist Theories and Feminist Psychotherapies: Origins, Themes, And Variations.* NY: The Harrington Park Press.

Espin, O. M. 1993. "Feminist therapy: not for or by white women only." *The Counseling Psychologist*, 21, 1, pp.103~108.

Fodor, I. G. 1988. "Cognitive behavior therapy: Evaluation of theory and practice for addressing women's issues." In M. A. Dutton-Ddouglas and L. E. Walker(eds.). *Feminist psychotherapies: Integration of therapeutic and feminist systems.* Norwood, NJ: Ablex, pp.91~117.

Freud, S. 1961. "The Economic Problem of Masochism." *The Standard Edition of the Complete Psychological Works of Sigmund Freud*, Vol.19. London: Hogarth Press.

_____. 1963. "A Child is Being Beaten." *Sexuality and the Psychology of Love.* New York: Collier Books.

_____. 1963. "Female Sexuality." *Sexuality and the Psychology of Love.* New York: Collier Books.

_____. 1963. "Some Psychical Consequences of the Anatomical Distinction Between the Sexes." *Sexuality and the Psychology of Love.* New York: Collier Books.

_____. 1965. "Femininity." *New Introductory Lectures on Psychoanalysis.* New York: W. W. Norton and Company Inc.

FTI. 1990. "Feminist Therapy Institute code of ethics." In H. Lerman and N. Porter(eds.). *Feminist ethics in psychopathology.* NY: Springer, pp.37~40.

Gilbert, Lucia Albino. 1980. "Feminist therapy." in A. Brodsky and R. T. Hare-Mustin(eds.). *Women and Psychotherapy.* New York: Guilford Press, pp.245~265.

Gordon, J. and F. Shontz. 1990a. "Representative Case Research: A way of Knowing." *Journal of Counseling and Development*, 69, pp.62~66.

Gordon, J. and F. Shontz. 1990b. "Living with the AIDS virus: ARepresentative Case." *Journal of Counseling and Development*, 68, pp.287~292.

Greenspan, Miriam. 1993. *A New Approach to Women and Therapy*, 2nd Edition. Blue Ridge Summit: TAB Books.

Helgeson, V. S. 1994. "Relation of agency and communion to well-being; Evidence and potential explanations." *Psychological Bulletin*, 116, pp.412~428.

Helgeson, V. S. and H. L. Fritz. 2000. "The implications of unmitigated agency and unmitigated communion for domains of problem behavior." *Journal of Personality*, 68, pp.1031~1057.

Hill and Anderson. 2005. "Feminist Therapy Practice: Visioning the Future." *Women and Therapy*. NY: the Haworth Press, Inc. pp.165~176.

Hill, Marcia and Mary Ballou. 2005. "From the past toward the future." *Women and Therapy*. NY: the Haworth Press, Inc. pp.161~163.

Johnson, P. 1976. "Women and power toward a theory of effectiveness." *Journal of social issues*, 32, pp.99~110.

Kaplan, M. 1983. "A woman's view of DSM-III." *American Psychologist*, 38,.pp.786~792

Kaschak, Ellyn. 1981. "Feminist psychotherapy: The first decade", In S. Cox(ed.). *Female psychology: the emerging self*. NY: St. Martins. pp.387~400.

_____. 1992. *Engendered Lives: A New Psychology of Women's Experience*. NY: Basic Books.

Kaschak, E. and M. Hill(eds.). 1999. *Beyond the rule book: moral issues and dilemmas in the practice of psychotherapy*. NY: Haworth.

Lerman, H. 1986. *A Mote in Freud's Eye: From Psychoanalysis to the Psychology of Women*. New York: Springer Publishing Company.

Liriano, Dorcas. 2005. "Fostering Feminist Principles in Our Community: How Do We Get There?" *Women and Therapy*. NY: the Haworth Press, Inc. pp.189~200.

Mednick, M. T. 1991. "Currents and futures in American feminist psychology." *Psychology of Women Quarterly*, 15, 4, pp.611~621.

McLeod, Eileen. 1994. *Women's Experience of Feminist Therapy and Counselling*. Buckingham: Open University Press.

Miller, J. B. et al. 1991. *Women's growth in connection: Writings from the stone center*. The Guilford Press.

Nolen-Hoeksema, S, J. Larson, and C. Grayson. 1999. "Explaining the gender difference in depressive symptoms." *Journal of Personality and social Psychology*, 77, pp.1061~1072.

Nolen-Hoeksema, S. and J. S. Girgus. 1994. "The emergence of gender differences in depression in adolescence." *Psychological Bulletin*, 115, pp.424~443.

Porter, Natalie. 1985. "New Perspectives on Therapy Supervision." In L. B. Rosewater and L. E. A. Walker(eds.). *Handbook of Feminist Therapy*. New York: Springer Publishing Company.

_____. 2005. "Location, location, location: Contributions of contemporary feminist theorists to therapy and practice." *Women and Therapy*. NY: the Haworth Press, Inc. pp.143~160.

Rowlings, E I. 1993. "Reflections on 'twenty years of feminist counseling and therapy'," *The Counseling Psychologist*, 21, 1, pp.88~91.

Rawlings, E. I. and D. K. Carter. 1977. "Feminist and non-sexist psychotherapy." in E. I. Rawlings and D. K. Carter(eds.). *Psychotherapy for Women*. Springfield, IL: Charles C. Thomas, pp. 49~76.

Singer. 1994. *Boundaries of the soul: The practice of Jung's psychology*. Anchor Books.

Sturdivant, S. 1980. *Therapy with women*. NY: Springer.

Walker, L. E. A. and M. A. Dutton-Douglas, 1988. "Future directions: development, application, and training of feminist therapies." In M. A. Dutton-Douglas and L. E. Walker(eds.). *Feminist psychotherapies: Integration of therapeutic and feminist systems*. Norwood, NJ: Ablex, pp. 276~300.

Walker, L. E. A. and L. B. Rosewater. 1985. *Handbook of feminist therapy: women's issues in psychotherapy*. NY: Springer.

Williams, E. F. 1976. *Notes of a feminist therapist*. NY: Praeger.

Worell, J. and P. Remer. 1992. *Feminist Perspective in Therapy: an empowerment model for women*. NY: Wiley.

Worell, J. and D. Robinson. 1993. "Feminist counseling/therapy for the 21st century." *The Counseling Psychologist*, 21, 1, pp.92~96.

Wyche, K. F. and J. K. Rice. 1997. "Feminist therapy: From dialogue to tenets." In J. Worell and N. G. Johnson(eds.). *Shaping the future of feministpsychology: Education, research,*

## 김민예숙

1955년생. 이화여자대학교 철학과(학사), 동 대학원 철학과(석사)와 심리학과(석사)를 졸업하고, 2004년 미국 세이브룩(Saybrook)대학원 심리학과 박사과정을 수학했다. 이화여자대학교 철학과 강사와 인천여성의전화 회장을 역임하고, 현재는 춘해보건대학교 간호과 부교수로 재직하고 있다. 여성주의상담가로서 2002년부터 김민예숙여성주의상담연구실을 운영하고 있다. 2012년에 창립된 한국여성심리학회 산하 여성주의상담 연구회의 초대 회장이다.

저서로는 『외도, 결혼제도의 그림자인가』(1995), 『여성과 철학』(1999, 공저), 『왜 여성주의 상담인가』(2005, 공저) 등이 있다. 역서로는 『성의 변증법』(1983), 『여성의 예속』(1986), 『중간지점에서 만나요』(1993), 『나는 이혼한다』(2001), 『여성주의 상담의 이론과 실제』(2004, 공역), 『모성의 재생산』(2008, 공역), 『여성주의와 상담』(2009, 공역), 『여성주의상담의 전복적 대화: 젠더와 권력의 전복』(2012, 공역) 등이 있다.



한울아카데미 1555

여성주의상담 구조화 모델 워크북





지은이 | 김민예숙

펴낸이 | 김종수
펴낸곳 | 도서출판 한울

편집책임 | 김현대
편집 | 조수임

초판 1쇄 인쇄 | 2013년 5월 20일
초판 1쇄 발행 | 2013년 5월 30일

주소 | 413-120 경기도 파주시 파주출판도시 광인사길 153 한울시소빌딩 3층
전화 | 031-955-0655
팩스 | 031-955-0656
홈페이지 | www.hanulbooks.co.kr
등록번호 | 제406-2003-000051호

Printed in Korea.
ISBN (양장) 978-89-460-5555-1 93330
(반양장) 978-89-460-4723-5 93330

* 책값은 겉표지에 표시되어 있습니다.
* 이 도서는 강의를 위한 학생판 교재를 따로 준비하였습니다.
강의 교재로 사용하실 때에는 본사로 연락해주십시오.